Almut Schmidt

WAHRE FREUNDINNEN

Band 2

Ravensburger Buchverlag

Bibliografische Information der Deutschen Nationalbibliothek:
Die Deutsche Nationalbibliothek verzeichnet diese Publikation
in der Deutschen Nationalbibliografie.
Detaillierte bibliografische Daten sind im Internet
über *http://dnb.d-nb.de* abrufbar.

1 2 3 4 5 E D C B A

Originalausgabe

Text: Almut Schmidt

Ravensburger Buchverlag Otto Maier GmbH
Postfach 1860, 88188 Ravensburg

Printed in Germany

ISBN 978-3-473-49119-3

www.ravensburger.de

TEIL 1

DIE RÄTSELHAFTE KARTE

Es war Spätherbst, eine mondhelle Nacht in der Prärie. In der Ferne heulten Kojoten, ein Käuzchen schrie. Nur ein einsamer Reiter war unterwegs: Jim Prescott. Er kam vom Fallenstellen in den Bergen zurück. Als er seine Laterne hob, um den Weg auszuleuchten, entdeckte er etwas Furchterregendes: Halb verborgen in einer Höhle starrte ihn aus hohlen Augen ein Skelett an! Jim stieg ab und ging mit klopfendem Herzen näher. In der knöchernen Hand steckte ein zusammengerolltes Papier. Im Schein der Laterne versuchte Jim, die Zeichen darauf zu entziffern. Und plötzlich durchfuhr es ihn wie ein Blitz: Er hatte es entdeckt! Das Grab des legendären Goldschürfers Respero!

Von ihm erzählte man sich in Miradero zahllose Geschichten. Angeblich hatte der alte Respero einen märchenhaft großen Schatz gefunden. Aber weil er so habgierig war, gab er ihn nicht aus, sondern versteckte ihn und fertigte eine Schatzkarte dazu an – die Jim jetzt vor sich hatte. Die Legende ging allerdings noch weiter. Sie besagte nämlich, dass jeder, der es wagte, die Karte zu stehlen, von Resperos Geist heimgesucht werden würde.
Doch Jim glaubte den alten Geschichten nicht. Und schrecken ließ er sich davon schon gar nicht. Was ein Fehler war. Kaum war er aufgestiegen, hörte er hinter sich ein bedrohliches Grollen. Ein riesenhafter Schatten fiel auf die Prärie.
In Panik drückte Jim seinem Pferd die Fersen in die Seiten und preschte los. Die wilde Flucht führte bergan über einen schmalen Pfad, geradeaus über glatten Fels – bis sich plötzlich ein Abgrund vor ihnen auftat.
„Ich wusste nicht, ob mein Pferd den Sprung schaffen würde. Doch es gab kein Zurück mehr", erzählte Jim seinen atemlosen Zuhörerinnen.

Abigail hing wie gebannt an seinen Lippen. „Du meine Güte! Haben Sie es geschafft?“ Vor Aufregung hatte sie ihre Finger zu Fäusten geballt.
Jim lachte. „Um Haaresbreite.“ Die Ereignisse lagen schon viele Jahre zurück, aber noch immer erinnerte er sich an jede einzelne Kleinigkeit.
Pru, die neben ihm stand, seufzte erleichtert. Auch sie brauchte einen Moment, bis sie wieder in der Wirklichkeit angekommen war.
In diesem Moment öffnete sich die Haustür der Prescott-Villa, und Lucky taumelte beladen wie ein Packesel hinaus. Auf ihren Armen türmten sich drei Koffer, an der rechten Hand hing eine große Reisetasche.

Pru sah der Freundin lachend entgegen. „Lucky, wir machen einen Campingausflug und keine Kreuzfahrt."
Mit einem Ächzen ließ Lucky die Gepäckstücke neben sich fallen. „Ich wollte doch nur sichergehen, dass ich nichts vergesse. Ich war vorher noch nie campen."
Schließlich lebte sie noch nicht lange in Miradero. Und in der Stadt, wo sie früher gewohnt hatte, konnte man nirgendwo unter freiem Himmel übernachten. Hach, das würde ein aufregendes Wochenende werden! Mit Papa, Pru und Abigail wollte sie für zwei Tage hinaus in die Berge reiten. Für alle Fälle hatte Lucky zwei dicke Pullis und Wollsocken eingepackt. Und Kissen und ein paar warme Decken. Ein Mückennetz und einen Gaskocher. Und zwei Töpfe zum Kochen. Und Hafer für Spirit und …
„Dann wird es jetzt allerhöchste Zeit für den ersten Ausflug", meinte Jim und lud das Gepäck auf eine kleine Kutsche. Er selbst würde nicht reiten. Er hatte seine zwei Pferde, Fuchs und

Gray, eingespannt, damit die Pferde der Mädchen kein Gepäck schleppen mussten.
„Also, auf geht's", rief er gut gelaunt.
Jubelnd holten die Mädchen ihre Pferde und schwangen sich in die Sättel. Nur Lucky sprang – diesmal ohne Schwierigkeiten – auf den blanken Rücken von Spirit. Der Hengst und sie hatten eine Abmachung: Er ließ sich von Lucky reiten. Aber ohne engen Gurt um den Bauch oder ein Eisenstück im Maul.

Im Schritt ging es einen Bergpfad hoch, an steilen Felswänden entlang. Die Sonne schien warm und ließ das Gestein tiefrot leuchten. Der Weg war so schmal, dass Jim mit der Kutsche vorausfuhr und die Mädchen in einer Reihe hinterherreiten mussten. Vorneweg Spirit und Lucky, dahinter Abigail auf ihrem kleinen Schecken Boomerang, und das Schlusslicht bildete Pru auf ihrer eleganten Stute Chica Linda.
„Wow", rief Pru von hinten. „Ich wusste gar nicht, dass dein Vater mal Pelzjäger war und dass er einen Fluss vermessen hat." Das hatte Jim nämlich auch noch erzählt.
„Und dass er mal zwanzig Bergarbeiter gerettet hat", fügte Abigail bewundernd hinzu.
Lucky zuckte mit den Schultern. Bisher hatte ihr Vater nur wenig von seiner Zeit in Miradero erzählt. Vielleicht, weil er dann an seine verstorbene Frau, Luckys Mama, denken musste. Zusammen hatten sie hier gelebt, bis Lucky zwei Jahre alt war. Nach dem Tod seiner Frau war Jim mit Lucky in die Stadt gezogen.

„Ich wusste nur, dass er hier einige Abenteuer erlebt hat“, sagte Lucky nachdenklich.
Pru grinste. „Ich würde sagen, dein Vater ist ein waschechter Entdecker.“
Lucky trieb Spirit in einen kurzen Trab und schloss zur Kutsche auf.
„Dad, wieso hast du mir nie etwas von all dem erzählt?“, fragte sie und quetschte sich mit Spirit neben den hölzernen Wagen.
Jim lächelte leicht. „Ich wollte es dir nicht erzählen, ich wollte es dir zeigen.“ Er nahm die Fahrleinen in eine Hand und machte mit der anderen eine ausladende Geste. Und wie auf Kommando öffnete sich das Bergpanorama und gab den Blick frei auf eine atemberaubende Ebene unterhalb von ihnen. Einzelne Felsbrocken lagen wie von einem Riesen verstreut in der weiten Prärie. Dazwischen schlängelte sich ein ausgetrocknetes Flussbett bis zum Horizont. In der Ferne erhob sich ein mächtiger Gebirgszug, und über den Himmel, der unendlich schien, zogen weiche Schäfchenwolken.

„Wow!“ Lucky strahlte. Diese Weite hatte sie von Anfang an geliebt. Hier gab es so viel zu entdecken. Hinter jeder Kurve konnte ein Abenteuer warten …

„Ich hoffe, wir entdecken ein paar Skelette“, sagte sie mit funkelnden Augen. „Oder erleben brenzlige Situationen, so wie du, Dad.“

Gut, dass Tante Cora zu Hause geblieben war und sie nicht hören konnte. Wenn es nach ihr ginge, sollte aus ihrer Nichte nämlich eine feine Dame werden – kein unternehmungslustiger Wildfang.

Jim lachte. „Ich denke, zum ersten Mal unter freiem Himmel zu schlafen, ist abenteuerlich genug.“

Lucky schüttelte energisch den Kopf. „Nicht für mich.“

Ob das Schicksal sie gehört hatte? Jedenfalls knirschte es in derselben Sekunde, und ein Kutschrad blockierte vor einem Stein auf dem Weg, sodass der Wagen sich querstellte.

Alarmiert rissen die Zugpferde die Köpfe hoch. Jim zog die Leinen an. Mit einem Satz sprang er

vom Kutschbock und lief nach vorn. „Pru, hilf mir, die Pferde anzuleinen", rief er.
Lucky verstand nur Bahnhof. Sie waren doch angeleint, oder?
Aber Pru wusste offenbar Bescheid. „Geht klar, Mister Prescott", antwortete sie und kam rasch angetrabt.
„Äh, warum machen sie das?", fragte Lucky leise.
Abigail neben ihr blickte besorgt nach vorn. „Um die Pferde sicher zu führen und von der Klippe fernzuhalten."
Lucky sah nach links. Es ging wirklich steil bergab, das war ihr vorhin überhaupt nicht aufgefallen.
Ihr Vater schlang den Kutschpferden mit Prus Hilfe jeweils ein Seil um den Hals. Dann machte er einen Schritt auf Spirit zu und wollte auch ihm ein Lasso umlegen.
Der Hengst warf den Kopf hoch. Niemals wieder würde er ein Seil um seinen Hals dulden. Noch zu frisch waren die Erinnerungen an damals, als man ihn eingefangen hatte. Panisch machte er einen

Satz rückwärts – und stieß mit seinem Hinterteil gegen die Kutsche.
„Vorsicht, Spirit!“, quiekte Lucky.
Die Kutsche bekam Übergewicht nach links und begann nach hinten zu rollen. Verzweifelt stemmten die Zugpferde sich dagegen, doch die Hinterräder bewegten sich unaufhaltsam auf die Klippe zu.
„Wir müssen sie ausspannen“, schrie Luckys Vater. „Beeil dich, Pru.“ Lucky schien er gar nicht mehr wahrzunehmen.
Auch Abigail sprang aus dem Sattel. Alle stürzten zu den Kutschpferden und zerrten an den Riemen der Fahrgeschirre. Sogar Chica Linda und Boomerang versuchten zu helfen und schnappten sich die Seile, um Fuchs und Gray festzuhalten.
Lucky rutschte von Spirits Rücken. Sie wollte auch irgendwas tun!
Doch ihr Vater rief nur: „Bleib, wo du bist“, und sprang zwischen die beiden Kutschpferde.
Lucky ließ die Schultern sinken. Sie fühlte sich plötzlich vollkommen überflüssig.

„Ganz ruhig! Ruhig!", versuchte Jim die Pferde zu beschwichtigen. Mit fliegenden Fingern löste er die Deichsel, während Pru und Abigail vorne am Geschirr hantierten.
Zentimeter für Zentimeter rutschte die Kutsche weiter nach hinten. Da gab es einen Schlag, und das erste Hinterrad krachte über die Klippe.
Durch den Ruck wurde Jim auf den Kutschbock geschleudert.
„Dad!", schrie Lucky auf. Würde ihr Vater mitsamt dem Wagen in die Tiefe stürzen?
Boomerang zog mit aller Kraft an dem Seil, um das Kutschpferd zu sichern, verlor dabei aber auf dem schmalen Pfad den Halt. Sein Hinterbein trat ins Leere, lose Steinbrocken regneten in die Schlucht. Entschlossen sprang Spirit vor und schnappte Boomerangs Schweif. In letzter Sekunde konnte er ihn vor dem Absturz bewahren.
Aber natürlich war die Gefahr nicht gebannt.
Die Pferde waren ausgespannt, und die Kutsche wurde nur noch von den Seilen gehalten – in die

sich Pru, Abigail und Boomerang mit ihrem ganzen Gewicht stemmten.
„Ich zähl bis drei, dann loslassen“, befahl Luckys Vater oben vom Kutschbock.
Lucky hielt die Luft an. Konnte das gut gehen? Aber fürs Nachdenken blieb keine Zeit.
„Eins, zwei, drei. Los!“
Die Seile schossen durch die Hände der Mädchen, sogar Boomerang öffnete rechtzeitig das Maul. Die Kutsche machte einen Satz nach hinten und Jim einen Satz nach vorn. Mit einer gekonnten Rolle landete er neben Fuchs und Gray auf dem Weg, während die Kutsche polternd den Abhang hinunterrauschte. Mit einem Scheppern landete sie unten am Fuß des Felsens.
Pru und Abigail starrten über den Rand der Klippe. Ihre Gesichter waren bleich. Das war knapp gewesen!
Lucky stürzte zu ihrem Vater und warf sich in seine Arme. „Dad, alles in Ordnung?“
Jim atmete einmal tief durch, dann strich er seiner Tochter über das Haar. „Ja, mein Schatz.“

Zwar waren sie jetzt ihre gesamte Ausrüstung los, aber wenigstens war niemandem etwas passiert. Keinem Zweibeiner und auch keinem Vierbeiner.
„Bei euch alles gut?“, wandte er sich an Pru und Abigail.
Die beiden nickten nur stumm, sie bekamen immer noch keinen Ton heraus.
Jim drehte sich zu Spirit um. „Tut mir leid, mein Junge“, seufzte er. „Ich weiß, du wirst nicht gern angeleint.“
Ein beleidigtes Brummeln war die Antwort.

Lucky fühlte sich immer noch ganz zittrig. Das war selbst für ihren Geschmack ein kleines bisschen zu viel Abenteuer gewesen.
„Gehört das beim Campen dazu?", wollte sie von den Freundinnen wissen.
„Nein!", rief Abigail entsetzt. „Am Lagerfeuer singen und Marshmallow-Rösten gehört dazu." Sie schmiegte sich an Boomerangs Hals. „Dass was in die Schlucht fällt, eher nicht."
Nachdenklich betrachtete Jim den Himmel. „Tja, die Sonne geht unter, dann schlagen wir hier mal unser Camp auf", beschloss er. Zurück nach Miradero würden sie es bei Tageslicht nicht mehr schaffen. Und in wenigen Minuten würden sie

eine Hochebene erreichen, auf der sie sich ausbreiten konnten.
Verwirrt sah Lucky ihn an. „Wir bleiben hier draußen? Aber wir haben doch gar keine Ausrüstung mehr.“ Ihre ganzen Decken und Kissen, das Kochgeschirr!
„Ich werde morgen in die Schlucht runterreiten und die Sachen wieder raufholen“, versprach ihr Vater. „Aber heute Nacht wird improvisiert!“
Es war schließlich nicht das erste Mal, dass er unverhofft draußen übernachten musste.
Pru schien das nichts auszumachen. „Toll!“, sagte sie strahlend und nestelte an einer kleinen Ledertasche hinter ihrem Sattel. „Abigail und ich haben zum Glück immer etwas zu essen in unseren Satteltaschen.“
Lucky strich über Spirits Rücken. „Wirklich?“
Sie hatte ja nicht mal einen Sattel.
„Das macht nichts“, sagte Abigail sofort. „Ich hab genug Marshmallows für uns alle.“
Dann sammelten sie die Seile ein und führten die Pferde die letzten Meter über den Pfad bis zu der

Hochebene. Die weite Lichtung wurde eingerahmt von Bäumen. Hier drohte wenigstens keine Absturzgefahr mehr. Aber sie mussten unbedingt ein Feuer entzünden, sonst würde es in der Nacht zu kalt werden. Luckys Vater schickte die Mädchen los, um Brennholz zu sammeln. Pru und Abigail schienen mal wieder genau zu wissen, was zu tun war, und verschwanden im nahen Wäldchen.

Planlos stapfte Lucky über die Lichtung. Sie hatte noch nie in ihrem Leben Brennholz gesammelt. Welche Äste waren am besten? Sie bückte sich nach einem dünnen Zweig mit Blättern.

„Meinst du, wir kriegen damit ein Feuer an?“, fragte sie Spirit, der sich ihr angeschlossen hatte. Spirit prustete, es klang fast wie ein Lachen. Er nahm den Zweig ins Maul, warf ihn auf den Boden und schnappte sich stattdessen zwei Stöcke, die daneben lagen. Lucky kapierte. Ohne Blätter und trocken brannte es wohl besser.

„Sogar du verstehst mehr vom Campen als ich“, seufzte sie. „Und du bist ein Pferd!“

Der Hengst schnaubte und legte seinen Kopf auf ihre Schulter. Zärtlich streichelte Lucky seine samtweiche Nase. „Schon gut, mein Großer. Ich fühl mich nur ein bisschen außen vor.“ Für Pru und Abigail und sogar für ihren Vater war sie immer noch das Stadtkind, dem man hier draußen nichts zutraute. Pah! Sie packte die beiden Stöcke wie Schwerter und fuchtelte damit durch die Luft. War denen nicht klar, dass sie genauso mutig und abenteuerlustig war wie sie?
Genau in der Sekunde rief ihr Vater mahnend: „Lucky, bleib in der Nähe!“
„Schätze nein“, murmelte sie und ließ die Stöcke sinken.
Aufmunternd stupste Spirit sie in den Rücken. Aufgeben galt nicht!
Mit ihrer Beute lief Lucky zurück zum Lagerplatz. Rund um die Feuerstelle hatte Jim dicke Stämme geschoben, auf denen Pru und Abigail es sich gemütlich gemacht hatten.
Etwas schüchtern reichte Lucky ihrem Vater die Stöcke.

„Ah, Holz für das Feuer“, sagte Papa, zwinkerte ihr zu und steckte die Stöcke zwischen das aufgeschichtete Holz.
„Wie kriegen wir das Feuer denn an, Mister Prescott?“, fragte Abigail. „Die Streichhölzer sind doch weg.“
Offenbar wussten die Freundinnen auch nicht alles, stellte Lucky fest.
Aber ihr Vater. Er hob ein paar unscheinbare Steine auf. „Na, mit diesen Feuersteinen“, erklärte er und verteilte sie an die Mädchen.
„Feuersteine?“, wiederholte Lucky verdutzt.
Jim nickte. „Die findet man hier viel, sie bestehen aus einem Mineral namens Quarz. Und wenn man die aneinanderschlägt …“, er machte es vor, „… entstehen Funken, und die brauchen wir.“
„Wow“, staunte Lucky und schlug sofort ebenfalls ihr Steine aneinander.
„Also los“, lachte Jim, „zünden wir das Feuer an.“
Eifrig schlugen die Mädchen die Steinflächen gegeneinander, aber es dauerte eine Weile, bis endlich ein Funke übersprang und das dürre Holz

entzündete. Rasch breiteten die Flammen sich aus, bis ein prächtiges Lagerfeuer prasselte. Abigail und Pru leerten ihre Satteltaschen. Jeder bekam ein Stöckchen, an dessen Ende ein Marshmallow gesteckt wurde. Das hielten sie über die Glut, und schon bald stieg ein köstlich süßer Duft auf.

Abigail zog ihr Stöckchen als Erste heraus. Sie pustete, um es abzukühlen – doch stattdessen schlug eine Flamme aus der weichen Masse! „Ups!", kicherte sie und warf die Zuckerfackel weg. Sie hatte ihr Marshmallow wohl etwas zu heiß gebraten.

Niemand bemerkte, dass Chica Linda neugierig an der Süßigkeit schnupperte, dann ihren Huf draufsetzte – und kleben blieb. Vergeblich schlenkerte sie ihren Huf vor und zurück, um den Gummibatzen loszuwerden. Empört schnaubend tappte sie schließlich mit ihrem Klebefuß davon.
Lucky wollte gerade genüsslich in ihr Marshmallow beißen, als aus dem Unterholz hinter ihnen ein Knurren ertönte. Sofort ließ sie ihren Stock sinken. „Was war das?", fragte sie.
Ihr Vater aß ungerührt weiter, nur Abigail blickte auf. „Hat sich angehört wie ein Dachs … oder ein Bär", sagte sie, und ihre Augen wurden kugelrund vor Schreck, als sie an diese Möglichkeit dachte.
„Oder Resperos Geist", setzte Pru nach und zog eine furchterregende Grimasse.
„Pru! Hör auf!", schimpfte Abigail.
Jetzt mischte Luckys Vater sich ein. „Na ja, Pru könnte recht haben. Dieses Land hier gehörte früher einmal dem alten Respero."
Abigail fiel fast das Marshmallow aus dem Mund.
Mit geheimnisvoller Stimme erklärte Jim, dass der

Schatz also irgendwo in der Nähe versteckt sein musste.
„Sie haben ihn nie gefunden?“, flüsterte Abigail.
Jim schüttelte den Kopf. „Nein. Die Karte war zu rätselhaft. Luckys Mum und ich haben es mehr als einmal versucht, sind aber nur bis zum ersten Hinweis gekommen.“
„Du warst mit Mum auf Schatzsuche?“, warf Lucky dazwischen. Wie aufregend! Und romantisch!
„Oh, ja, war ich“, erwiderte Jim lächelnd. Als er das Funkeln in Luckys Augen bemerkte, schob er rasch hinterher: „Aber ich wette, Resperos Geist wäre ziemlich wütend, wenn wir uns jetzt wieder auf die Suche nach ihm machten.“
Doch auch Pru hatte das Entdeckerfieber gepackt. „Oh! Ich würde den Schatz liebend gern in die Finger kriegen“, stieß sie hervor. „Es ist bestimmt Gold!“
„Oder Kätzchen!“, meinte Abigail verträumt. Schon lange wünschte sie sich so ein süßes Fellknäuel. Als sie die verwunderten Blicke der

anderen bemerkte, sagte sie rasch: „Na ja, doch wohl eher Gold."
Lucky durchbohrte ihren Vater beinahe mit Blicken. „Schade, dass wir die Karte nicht haben."
Jim seufzte. Von wem hatte sie bloß diese Hartnäckigkeit? Und woher wusste sie, dass er die Karte für alle Fälle eingesteckt hatte? Aus seiner Hemdtasche zog er eine Papierrolle.
Lucky riss sie ihm beinahe aus den Fingern. Ehrfürchtig entrollte sie das knittrige Papier. Im Feuerschein erkannte sie darauf Sterne und seltsame Zeichen. Quer über das Blatt zog sich eine geschlängelte Linie. „Oh, toll!", jubelte sie.
Pru drängte sich neben sie. „Das ist keine

Schatzkarte", meinte sie, nachdem sie das Papier studiert hatte. „Das sind nur Bilder und ein Gedicht."

Verwundert sah Lucky sie an. „Ich kann das nicht mal lesen."

Pru deutete auf die seltsamen Hieroglyphen. „Das ist eine Geheimschrift der Bergarbeiter."

Jim drehte sich zu ihr um. „Genau. Woher kennst du diese Schrift?"

„Ach, von meinem Vater", meinte Pru leichthin. „Wenn wir mal Pferde mit solchen Brandzeichen fangen, hilft es uns, die Besitzer zu finden."

Aufgeregt deutete Lucky auf das Papier. „Was steht denn da?", wollte sie wissen.

Pru runzelte die Stirn und fuhr langsam mit ihrem Finger über die Zeichen.

„Der Startpunkt zum Schatz ist hier zu sehen, doch nie werdet ihr dem Geist entgehen", las sie vor. Sie hielt inne. „Und was genau heißt das, bitte?"

Abigail blickte sie erschrocken an. „Ich hab nur ‚Geist' verstanden", fiepte sie.

Doch Lucky ließ sich nicht beirren. „Das ist ein Rätsel“, rief sie ihrem Vater zu.
Der nickte. „Wem sagst du das? Deine Mum und ich konnten es nicht knacken, vielleicht ist es ja unlösbar.“
Lucky schüttelte den Kopf. „Also, ich werde es versuchen“, sagte sie entschlossen. „Du hast die Karte gefunden, vielleicht schaff ich es ja, den Schatz zu finden!“
„Und ich geb ihn aus: Ein neuer Sattel lacht!“, jubelte Pru.
Aber vielleicht freute sie sich zu früh?

Wenig später war das Feuer heruntergebrannt, nur noch wärmende Glut blieb übrig. Pru und Abigail gähnten mittlerweile um die Wette. Zu gern wären sie noch wach geblieben, aber nach dem aufregenden Tag fielen ihnen einfach die Augen zu. Sie wickelten sich in zwei grobe Pferdedecken und waren in null Komma nichts eingeschlafen.
Nur Lucky war noch nicht müde. Die Schatzkarte ließ ihr keine Ruhe. Sie kuschelte sich an Spirit, der sich neben sie gelegt hatte, und blickte angestrengt auf das Papier. Wie sollte man aus den seltsamen Mustern und Zeichen bloß schlau werden?

Spirit schien helfen zu wollen, er streckte den Kopf über ihre Schulter und beschnupperte das Blatt.
„Kannst du das Rätsel lösen?", fragte Lucky kichernd.
Schnaubend schüttelte der Hengst den Kopf.
„Lucky", rief ihr Vater, der sich ein Stück entfernt auf Prus Satteltaschen ausgestreckt hatte. „Komm mal her, sieh dir das an." Er deutete nach oben in den nächtlichen Himmel.
Lucky ging zu ihm und legte sich ebenfalls auf den Rücken. „Wow", sagte sie andächtig und blickte hinauf zu den Abertausenden funkelnden Punkten auf dem samtblauen Nachthimmel. „Das sind ja 'ne Menge Sterne."
Jim zeigte auf vier Sterne, die wie ein schiefes Viereck beieinanderstanden. „Das Sternbild da, erkennst du es?"
„Das ist ... ein Rechteck?", riet Lucky.
Papa lächelte. „Versuch mal, es anders zu betrachten." Mit dem Finger fuhr er die Linien nach und schmückte sie aus: Ein Pferdehals, ein

Pferdekopf entstanden in der Luft. „Siehst du? Ein kleines Pferd", erklärte er. „Das ist Equuleus."
Lucky erkannte den Namen sofort. „Das ist Mums Pferd", sagte sie leise. Ihre Mutter war eine berühmte Zirkusreiterin gewesen. „Sie hat es nach einem Sternbild benannt?"
Papa nickte, schob seine Hand unter den Kopf und erzählte weiter. „Equuleus war zwar nicht besonders groß und kräftig, aber er war schlau. Und wenn eine Gefahr drohte, hat er sich versteckt."
Lucky sah den kleinen Fuchs genau vor sich, unzählige Male hatte sie ihn auf alten Fotos betrachtet. Was meinte Dad mit „Gefahr"? Vielleicht ein Bär? In Gedanken sah sie oben am Himmel einen Grizzly auftauchen, und Equuleus verschwand hinter einer Wolke.

„Heißt das, er war ein Feigling?“, fragte Lucky.
„Nein, er war clever“, widersprach ihr Vater. „Er wusste, dass er manchmal nicht flüchten oder sich einer Gefahr stellen konnte, also hat er sich in Sicherheit gebracht.“
Der Equuleus am Himmel lugte hinter der Wolke hervor, doch der Bär konnte ihn nicht sehen. Wütend brüllte er auf.
Mit einer Handbewegung wischte Papa die Gedankenbilder fort.
„Deiner Mum hat dieses Verhalten immer gefallen“, fuhr er fort. „Sie hat daraus gelernt, nicht blind gegen alles anzugehen.“
Lucky legte ihren Kopf auf Papas Schulter und schmiegte sich an ihn. Es war schön, mit ihm über ihre Mum zu reden. Es fühlte sich dann an, als wäre sie ganz nah bei ihnen. Glücklich schloss Lucky die Augen, und wenige Sekunden später war sie eingeschlafen.

Am nächsten Morgen waren alle bei Sonnenaufgang auf den Beinen. Lucky und ihr Vater deckten die restliche Glut am Lagerfeuer mit Steinen zu, Pru und Abigail rollten die Pferdedecken zusammen.
Mit einem Lasso in der Hand ging Jim dann zu den Pferden hinüber, die ihr Frühstücksgras zupften. Als er an Spirit vorbeikam, bäumte der Hengst sich auf und sprang zurück.
„Ho! Ganz ruhig, mein Junge", rief Luckys Vater. „Das Seil ist für Fuchs, nicht für dich."
Spirit schnaubte empört. Männer mit Seilen sollten gefälligst Abstand von ihm halten!
„Ich glaub, dein Pferd mag mich nicht besonders", sagte Jim zu seiner Tochter.

Lucky grinste. „Er mag einfach keine Seile“, übersetzte sie Spirits Schnauben. Sie zögerte. „Und dich auch nicht, tut mir leid.“
Spirit warf Jim noch einen finsteren Blick zu, dann widmete er sich wieder dem Gras.
Luckys Vater ging zu Fuchs und schlang ihm das Seil wie ein Zaumzeug um den Kopf. So konnte er ihn reiten. Ein zweites Seil bekam Grey um den Hals, den Jim als Handpferd mitnehmen wollte.
„So, ihr drei, ich reite los und hol die Sachen aus der Schlucht“, erklärte er den Mädchen, während er sich auf den Pferderücken schwang.
„Soll ich mitkommen?“, bot Pru an.
Jim schüttelte den Kopf. „Nein, das dauert ein paar Stunden. Genießt den Tag und habt Spaß zusammen!“
„Machen wir“, rief Abigail und zählte voller Begeisterung auf, was sie heute alles vorhatte: „Wir gehen zuerst auf Erkundungstour, pflücken dann Blumen, fangen Schmetterlinge, raten Wolkenbilder und …“
„Ja, ausgezeichnet“, unterbrach Jim sie hastig.

„Aber geht nicht zu weit weg, ja?" Eindringlich sah er seine Tochter an. „Und Lucky, du bleibst immer schön bei Pru und Abigail."
Lucky stöhnte. Das war so typisch. Die beiden waren doch nicht ihre Babysitter! Kaum war ihr Vater mit den Pferden hinter dem Berg verschwunden, zog sie entschlossen die Schatzkarte hervor. „Okay, ich werde als Erstes erkunden, wo Respero seine Reichtümer versteckt hat." Sie entrollte das Papier und starrte auf die Zeichen. Wie hatte Pru die gestern noch mal übersetzt? „Der Startpunkt zum Schatz ist hier zu sehen … doch nie werdet ihr dem Geist entgehen."
Bei dem Wort „Geist" zuckte Abigail gleich wieder zusammen. „Der Geist muss schrecklich sein", hauchte sie.
Pru verdrehte die Augen. „Der Hinweis ist schrecklich", schimpfte sie. „Ich seh hier keinen Startpunkt."
Lucky blickte sich um. Hier gab es jede Menge Bäume und Sträucher. Und Steine. Und Sand.

Aber nichts davon sah aus wie der Startpunkt für eine Schatzsuche. „Das hat bisher noch niemand entschlüsselt", seufzte sie. Blinzelnd hielt sie das Blatt gegen die Sonne. „Wenn wir es schaffen wollen, müssen wir versuchen, es anders zu betrachten."
„Vielleicht durch ein Fernrohr, damit wir weit, weit weg von dem Geist sind?", schlug Abigail vor und machte sicherheitshalber schon mal einen Schritt zurück. Dabei stieß sie gegen Pru – und fuhr zusammen, als wäre sie Respero höchstpersönlich in die Arme gelaufen. Als sie ihren Irrtum bemerkte, grinste sie betreten.
Lucky war so in die Karte vertieft, dass sie nichts davon mitbekam. Eingehend betrachtete sie die aufgemalten Sterne – und plötzlich klickte es in ihrem Hirn. „Hey, Moment mal!", rief sie. „Das sieht aus wie ein Sternbild!" Eilig kramte sie einen Stift aus ihrer Tasche und begann, auf dem Blatt herumzumalen. „Wenn ich die Sterne verbinde, sieht man … einen Hund?" Sie legte den Kopf schräg. „Oder einen Wolf?"

Abigail trat neben sie und spähte auf Luckys Zeichnung. „Das ist der ‚Wolfshügel'", rief sie. „Da bin ich mit meinem Hamster früher oft Gassi gegangen."
Ungläubig zog Lucky die Augenbrauen hoch. Gassigehen mit einem Hamster? Auf einem Hügel mit Wölfen?
Aber Abigail schien das ganz normal zu finden. „Ist gleich hinter dem nächsten Pass", plapperte sie weiter.
„Der Startpunkt zum Schatz!", rief Pru mit blitzenden Augen.
Lucky ließ die Karte sinken. „Ich kann es nicht fassen." Hatten sie das Rätsel wirklich gelöst?
Pru machte auf dem Absatz kehrt und rannte zu den Pferden. „Worauf warten wir noch? Nichts wie hin zu dem Gold!"
Lucky war als Erste bei Spirit, sprang geschickt auf seinen Rücken und galoppierte los. „Die Letzte beim Wolfshügel ist 'n stinkender Bergarbeiterschuh!", schrie sie übermütig. „Hüa!"

Abigail hüpfte in Boomerangs Sattel und jagte Lucky nach. Pru wollte ebenfalls hinterher, doch Chica Linda hob nur vorwurfsvoll ihren Huf: Immer noch klebte das Marshmallow daran! Aber darauf konnte ihre Reiterin jetzt keine Rücksicht nehmen; ein Schatz wartete! Pru drückte die Fersen an, und endlich trabte Chica Linda widerwillig los.

Etwas später hatten sie den Wolfshügel erreicht, der dicht mit Bäumen bewachsen war. Wölfe trieben sich hier heute zum Glück nicht mehr herum, wie Pru versicherte. Im Schritt ritten sie einen schmalen Weg berghoch. Oben auf dem Hügel öffnete sich eine kleine Lichtung. Die Mädchen stiegen ab.

„Der Schatz muss hier irgendwo versteckt sein", murmelte Pru und sah sich suchend um.

Lucky verstaute die Karte in ihrer Hosentasche, da sie im Moment nutzlos war. „Wir schwärmen aus und suchen ihn", bestimmte sie und marschierte los, direkt in den Wald hinein.

Abigail guckte ängstlich um sich. Das Halbdunkel

zwischen den Bäumen gefiel ihr ganz und gar nicht. Geister liebten doch die Dunkelheit, oder?
„Aber nicht zu weit ausschwärmen", meinte sie besorgt und blieb Lucky und Pru dicht auf den Fersen.
Pru nahm die Umgebung detektivmäßig unter die Lupe. Jeder Baumstamm wurde nach Hinweisen abgesucht, jedes Fleckchen Erde nach irgendwelchen Spuren.
Abigail konzentrierte sich auf Steinbrocken. Vielleicht hatte Respero etwas darunter versteckt?
Lucky ging prüfend an einer Reihe dichter Büsche vorbei. Plötzlich stutzte sie. Was blitzte da hinter den Zweigen hervor? Sie schob das Grün beiseite und legte eine Felswand frei. Ihr Mund klappte schlagartig auf. In den Fels waren die gleichen Zeichen gemeißelt, die auch auf der Schatzkarte zu sehen waren.
„Kommt mal her!", rief sie aufgeregt.
Sofort liefen die Mädchen zu ihr.
„Pru, was steht da?", wollte Lucky wissen.
Die Freundin kniete sich neben sie und begann

vorzulesen: „Was zischt gefährlich, was klappert da? Schritt für Schritt lauert Gefahr."
Abigail erstarrte. Sie hatte nur „Gefahr" und „klappern" gehört. „Das ist der Geist", jammerte sie und rang verzweifelt die Hände. „Der klappert mit seinen Ketten."
„Aber ein Geist zischt nicht", widersprach Pru. Angestrengt dachte sie nach. „Hm, das Einzige, das ich kenne, was zischt und klappert, ist eine Schlange."
Boomerang, der mit einem Ohr zugehört hatte, begann nervös zu tänzeln. Wie, was? Gab es hier etwa Schlangen? Diese beweglichen Stöcke konnte er gar nicht leiden!
„Aber ich seh hier nirgendwo eine Schlange", fuhr Pru fort.
Boomerang schnaufte erleichtert.
Lucky studierte wieder die Karte. Plötzlich tippte sie hektisch darauf. „Hier! Da ist doch eine Schlange!"
Die Freundinnen beugten sich vor. Stimmt, da war diese geschlängelte Linie, die quer über den

Wolfskopf lief. Links oben mündete sie in einer Art Schlangenkopf.
Abigail riss die Augen auf. „Du meine Güte! Der Schlangenhügel“, rief sie.
Lucky konnte ihr Glück kaum fassen. Schon wieder wusste Abigail die Lösung! „Wo ist der?“, fragte sie atemlos.
Abigail ließ die Schultern sinken und gab kleinlaut zu, dass es den nicht gab. Mit einem entschuldigenden Lächeln fügte sie hinzu: „Aber wenn es ihn geben würde, wäre es ein Volltreffer.“
Enttäuscht stieß Lucky die Luft aus. Trotzdem, an irgendetwas erinnerte die Schlangenlinie sie.
„Abigail, du bringst mich trotzdem auf etwas“, meinte sie zögernd.
Das blonde Mädchen strahlte. „Wirklich?“
Lucky nickte. „Ja, der letzte Hinweis sah aus wie ein Wolf.“ Mit der Karte in der Hand lief sie zurück auf die Lichtung. „Was sieht hier aus wie eine Schlange?“
Auch Pru und Abigail ließen den Blick schweifen.
Dann ging Pru ein Licht auf. „Da!“, schrie sie und

deutete auf eine Baumlücke, durch die man freie Sicht auf die weite Prärie unten hatte. Und auf den ausgetrockneten Flusslauf, der sich wie ein gewundenes braunes Band bis zum Horizont zog!
„Das sieht aus wie die Schlange auf der Karte!"
Hastig hielt Lucky die Karte hoch und verglich die Bögen mit der Linie auf dem Blatt. Diesmal war es wirklich ein Volltreffer, sie stimmten genau überein.
Johlend rannten Lucky und Pru zu den Pferden.
Die nächste Aufgabe war klar: Sie mussten dem Flussbett folgen bis zu seinem Ende, dem Schlangenkopf.
Pru fühlte in Gedanken schon die Goldstücke durch ihre Finger rieseln. „Ich kauf mir türkisfarbenes Zaumzeug und nagelneue Reitstiefel", sprudelte sie hervor, während sie den Fuß in den Steigbügel stellte. „Und einen sprechenden Papagei. Und ..." Ach, es gab einfach so viele tolle Sachen! Ihr Blick fiel auf Abigail, die wie festgenagelt neben Boomerang stand und keine Anstalten machte, aufzusteigen.

„Was stehst du denn da rum?", rief sie.
Unbehaglich schlang Abigail die Arme um ihren Körper. „Das Flussbett ist ganz schön weit weg von hier. Wir werden den ganzen Tag brauchen."
Sie hatten Jim versprochen, in der Nähe zu bleiben. „Dein Dad wird sich Sorgen machen, wenn er zurückkommt, und wir sind nicht da."
Lucky, die schon auf Spirits Rücken saß, schüttelte den Kopf. „Er weiß doch, dass wir auf Erkundungstour sind", meinte sie leichthin. „Stimmt's, Spirit?" Zärtlich wuschelte sie durch die Mähne des Braunen, der mit einem Prusten antwortete.
Außerdem würde Dad nicht böse sein, wenn er erst mal den Schatz sah. Genau wie Pru träumte Lucky schon von Bergen funkelnder Goldtaler, von Schmuck und Edelsteinen – oder was immer in so einer Schatztruhe sein mochte.
„Ist schon okay, Abigail", fand auch Pru. „Er weiß, dass wir hier draußen gut alleine klarkommen."
Zweifelnd sah Abigail sie an. „Na schön", sagte sie langsam. „Ich, hm, hab auch schon ein paar

Fragen an deinen Papagei." Ihre Miene hellte sich immer mehr auf. Ein sprechendes Tier, wie genial! Bei Boomerang konnte sie immer nur raten, was er sagen wollte. „Also, ist gut", sagte sie und sprang strahlend in den Sattel. „Los geht's!"

Es dauerte allein zwei Stunden, bis sie den Berg hinuntergekraxelt und über die staubige Prärie bis zu dem ausgetrockneten Flussbett geritten waren. Im Schritt folgten sie dem ehemaligen Flusslauf, der wenig später in eine Felsenschlucht führte. Als sie an einem Tümpel vorbeikamen, blieb Chica Linda hinter den anderen zurück. Unauffällig drängte sie zum Wasser und hielt ihren Vorderhuf hinein. Sie wollte endlich das Marshmallow loswerden! Was mit Wasser aber nicht funktionierte. Als sie ihren Huf herauszog, klebte stattdessen ein quakender Frosch daran. Dieser Klebebatzen war wie ein Magnet. Er zog alles an, was herumlag – oder herumschwamm!

„Trödel nicht so rum, Chica Linda", beschwerte sich Pru, die nichts gemerkt hatte. „Weiter, los!"
Chica Linda schüttelte den Frosch ab und folgte missmutig den anderen.
Kurz darauf mussten sie anhalten. Der normale Weg hörte auf, stattdessen lagen in der Schlucht nun einzelne Felsplatten vor ihnen, zwischen denen es tiefe Spalten gab. Das war aber nicht alles: Auf einigen Felsplatten lagen kleine Steinblöcke – in die jemand Zeichen eingeritzt hatte. Auf jeden Block genau eins.
„Seht doch!", rief Abigail und deutete auf den vordersten Block. „Buchstaben in der Geheimschrift."
Pru schloss auf. „R-M-E-S-K-G …", las sie vor. Verwirrt sah sie die anderen an. „Das sagt mir gar nichts."
Auch Lucky hatte keinen blassen Schimmer, was das heißen sollte. Vielleicht ein geheimes Wort in Geheimschrift? Aber sie konnten jetzt nicht ewig rumrätseln, es wurde immer später. Entschlossen schickte sie Spirit rückwärts, um Anlauf zu

nehmen. „Der erste Schritt, um ein furchtloser Entdecker zu sein, ist, furchtlos zu sein.“ Sie legte die Schenkel an und galoppierte auf die Felsplatten zu. Spirit sprang geschickt auf die erste Platte. Doch kaum berührten seine Hufe den Fels, senkte die Platte sich gefährlich nach unten. Gleichzeitig lösten sich weiter oben am Berg große Steinbrocken, die mit Getöse in die Schlucht polterten. In letzter Sekunde warf Spirit sich herum und rettete sich und seine Reiterin auf den Weg zurück.
„Was war das?“, keuchte Lucky. Ihr Herz raste vor Schreck. „Ein Steinschlag?“

Pru blickte sie ernst an. „Das war kein Steinschlag, der wurde geworfen."
Aber von wem? So sehr sie auch nach oben starrten, sie konnten niemanden entdecken.
Fröstelnd zog Lucky die Schultern hoch. Wie hatte Respero auf der Schatzkarte geschrieben?
„Schritt für Schritt lauert Gefahr", wiederholte sie seine Worte – oder vielmehr seine Drohung. Mit gekräuselter Stirn betrachtete sie die Felsplatten vor sich. „Auf dem Weg da sind Fallen!"
Die beiden anderen nickten bedrückt. Und was für welche!
„Wir müssen rausfinden, wie man da durchkommt", entschied Lucky und holte wieder die Karte hervor. Zum gefühlten hundertsten Mal studierte sie jede Einzelheit darauf. Ohne Erfolg.

Respero hatte nicht den kleinsten Hinweis hinterlassen, wie man die Fallen umgehen konnte.
„Die Buchstaben müssen irgendwas bedeuten", sagte Lucky verzweifelt. „Aber das Einzige, was auf der Karte steht, ist Resperos Name." Sie reichte die Karte an Pru weiter.
Ein paar Minuten starrte die Freundin stumm auf das Papier. Dann breitete sich ein Grinsen auf ihrem Gesicht aus. „Das ist es!", rief sie und wendete Chica Linda. „Los geht's mit ‚R'." Sie ließ ihre Stute auf die Platte springen, die mit ‚R' markiert war.
„Was machst du da?", rief Lucky erschrocken.
Doch Pru ließ sich nicht beirren. „Dann ‚E'", sagte sie, mehr zu sich selbst, und sprang mit Chica Linda eine Felsplatte weiter nach links.
„Vorsichtig, Pru!", kreischte Abigail. Sie konnte kaum hinsehen. Würde gleich der nächste Steinregen ihre Freundin unter sich begraben?
„Jetzt ‚S'", rief Pru und lieferte auch gleich die Erklärung: „Wir folgen den Buchstaben, die seinen Namen ergeben."

Lucky und Abigail sahen sich an. Wieso waren sie da nicht eher draufgekommen? Die Lösung war so einfach. Sie legten die Schenkel an und sprangen Pru und Chica Linda hinterher, auf genau der gleichen Zickzacklinie quer über die Felsplatten.
„Das ist wie Hüpfekästchen!", juchzte Abigail, die das Schlusslicht bildete. In diesem Moment setzte Spirit vor ihr einen Huf auf die falsche Platte. Sofort senkte der Fels sich nach unten, und zwei Steinbrocken verfehlten sie nur um Haaresbreite.
„Nur viel gefährlicher als Hüpfekästchen." Abigail schluckte trocken. Sie fasste die Zügel kürzer. Ab jetzt würde sie Boomerangs Hufe zentimetergenau auf die nächsten Platten dirigieren.
„P, E, R, O", diktierte Pru von vorne. Mit einem eleganten Satz landete sie auf dem letzten Buchstaben.
„Geschafft!", jubelte Lucky, als sie neben ihr stand.
Auch Abigail machte fast einen Luftsprung im

Sattel, als sie die Freundinnen eingeholt hatte. In diesem Augenblick löste sich etwas, das bisher fest an Chica Lindas Marshmallow-Huf gepappt hatte: ein kleines Stöckchen. Sacht segelte es auf die Nachbarplatte. Die paar Gramm Gewicht genügten. Krachend rauschte die Platte nach unten und löste den bisher gewaltigsten Steinschlag aus: Riesige Felsbrocken verdunkelten die Sonne und rasten in einer Staubwolke auf sie zu. Die Pferde warfen sich auf der Hinterhand herum und jagten los wie von einem Katapult abgeschossen. Nach wenigen Sprüngen hatten sie den rettenden Ausgang aus der Felsenschlucht erreicht und preschten hinaus auf die Prärie.
Dort zügelten die Mädchen sie. Atemlos blickten sie zurück. Die Felsbrocken hatten die Schlucht meterhoch zugeschüttet.
„Puh!“, stöhnte Pru. „Das hat dein Dad bestimmt noch nicht gemacht.“

Pfeifend kam Jim zum Camp zurückgefahren. Die Dämmerung setzte bereits ein. Es hatte länger gedauert als gedacht, die Kutsche zu reparieren. Bei dem Absturz war die Deichsel gebrochen und musste geflickt werden, ebenso eins der Holzräder. Dem Gepäck war nichts passiert, er hatte die Koffer und Taschen nur einsammeln und wieder aufladen müssen.
Suchend wanderte sein Blick über die Lichtung. „Hey, ich bin wieder da!", rief er. „Macht das Feuer an, ich hab einen Mordshunger!"
Keine Reaktion. Die Mädchen waren nirgends zu entdecken. Auch ihre Pferde waren fort.
„Wo seid ihr?", rief Jim erneut, diesmal schon

etwas besorgt. „Hallo?“ Das Echo seiner Stimme klang hohl von den Felswänden wider. Ein Käuzchen schrie, sonst antwortete niemand. Er hatte ihnen doch eingeschärft, nicht so weit wegzugehen. In der Dunkelheit wurde es in den Bergen wirklich gefährlich. Wenn sie nicht bald auftauchten, musste er sich auf die Suche nach ihnen machen. Seufzend begann er die Pferde auszuschirren und das Gepäck abzuladen. Jetzt war ihre Ausrüstung wieder da, aber dafür waren die Mädchen weg. Konnten auf diesem Ausflug nicht mal alle und alles zusammenbleiben?

Lucky, Pru und Abigail folgten immer noch dem Flusslauf, mittlerweile unter einem flimmernden Sternenhimmel. Der Mond schien hell, sodass sie den Weg gut erkennen konnten. Wo war bloß dieser Kopf der Schlange, also das Ende des Flusslaufs?

Weit konnte es nicht mehr sein, denn das Flussbett war hier nicht mehr trocken, sondern führte immer mehr Wasser. Bald mussten sie auf die Quelle stoßen.

Hinter der nächsten Flussbiegung war es so weit: Vor ihnen ragte eine Felswand auf. Und darüber stürzte ein mächtiger Wasserfall hinab in einen See. Im Mondlicht glänzten die Wassermassen wie flüssiges Silber.

„Wow!", flüsterte Abigail. Dieser Ort wirkte wie verzaubert.

Lucky hielt Spirit an und lauschte dem Rauschen. „Das ist wunderschön", stimmte sie zu.

Nur Pru wirkte genervt. „Ich glaub's einfach nicht", schimpfte sie. „Das Camp ist nur eine Meile von hier entfernt, wir sind im Kreis herum geritten." Sie deutete nach hinten. „Wir sind fast wieder da, wo wir angefangen haben."

Die beiden anderen guckten überrascht. Sie hatten in der Dunkelheit nichts wiedererkannt.

„Na gut", brummte Pru, „dann müssen wir auch den Schatz nicht so weit schleppen. Gold ist

schwer." Bei den letzten Worten wanderten ihre Mundwinkel wieder nach oben.
„Falls wir ihn finden", gab Lucky zu bedenken. Sie war nicht mehr ganz so zuversichtlich. Es war spät. Und dunkel. Hoffentlich suchte ihr Papa nicht schon nach ihnen. Lucky rutschte von Spirits Rücken und holte die Karte heraus. Den Blick auf das Papier geheftet lief sie los – und glitt im selben Augenblick in einer Pfütze aus. Die Karte fiel zu Boden und saugte sich in Sekundenschnelle mit Wasser voll. Entsetzt riss Lucky sie hoch.
„Alles okay?", rief Abigail und lief zu ihr.
„Ja, bis auf die Karte", erwiderte Lucky unglücklich. „Die Tinte verläuft."
Pru trat neben sie. „Nein, tut sie nicht", stellte sie fest und deutete auf die verzweigte Linie, die aus dem Mund der Schlange wuchs. „Das ist unsichtbare Tinte."
Von Abigail kam ein würgendes Geräusch. „Die Zunge der Schlange", stieß sie hervor.
Aber das war ein neuer Hinweis! Die Zunge zeigte

nach links. Angestrengt spähte Lucky in die Dunkelheit. Hinter dem See schimmerten eine Reihe flacher heller Steine. „Da ist ein Weg“, rief sie. „Der Schatz muss hinter dem Wasserfall sein. Kommt mit!“

Nicht nur Pru und Abigail folgten ihrer Aufforderung, auch die Pferde setzten sich in Bewegung. Mit Spirit vorneweg trotteten sie hinter den Mädchen her.

Den Eingang zum Wasserfall versperrten große Steinbrocken. Die Freundinnen konnten darüber

hinwegklettern, doch für die Pferde waren die Steine ein unüberwindbares Hindernis. Spirit wieherte laut. Er schien die Mädchen nicht gehen lassen zu wollen.
„Warte hier, Spirit“, sagte Lucky. „Wir sehen mal nach, was da drinnen ist.“
Doch der Hengst ließ sich nicht beruhigen. Schrill wiehernd stieg er auf die Hinterbeine.
„Was hat Spirit denn nur?“, fragte Abigail besorgt.
Lucky zuckte mit den Schultern. „Ach nichts, er würde nur gerne mitkommen.“ Sie lief noch einmal zu ihm und streichelte seine Stirn. „Ist ja gut, mein Großer, wir sind gleich wieder da.“
Doch kaum hatte sie sich umgedreht, wieherte Spirit wieder, und diesmal klang es fast verzweifelt.
Es zwickte in Luckys Bauch, aber sie schob das ungute Gefühl beiseite. Der Schatz wartete!

Begleitet von Spirits Wiehern verschwanden die Mädchen hinter dem tosenden Wasserfall. Kühle Dunkelheit umfing sie, es roch feucht. Als ihre Augen sich an die Dunkelheit gewöhnt hatten, merkten sie, dass sie in einer großen Höhle standen. Von der Decke tropfte Wasser. Und da war noch etwas, ganz hinten an der Wand …
„Da ist er!", schrie Abigail und deutete auf eine große Holztruhe, die halb verborgen war hinter Geröllbrocken.
Lucky stürzte vor. „Der Schatz!" Sie hatten es wirklich geschafft!
Mit vereinten Kräften räumten sie die Steine beiseite. Das Holz der Truhe war wurmstichig und

feucht, es wurde von schweren Metallbeschlägen zusammengehalten.
Pru zerrte und ruckelte an dem Deckel. „Die ist verschlossen", bemerkte sie messerscharf. Sie betrachtete die Truhe genauer. Ein Schloss in Totenkopfform hielt den Deckel mit eisernen Klauen fest.
„Auf der Karte sind auch Totenköpfe", meinte Lucky und versuchte, im Halbdunkel auf dem Papier etwas zu erkennen. „Das muss ein Hinweis sein."
„Ja, aber für was?", fragte Pru und trommelte ungeduldig mit den Fingern auf das Holz.
Abigail blickte sich wachsam nach allen Seiten um, als erwartete sie, dass gleich Resperos Überreste um die Ecke biegen würden. „Mir gefällt das alles nicht", piepste sie. „Diese Totenköpfe sind schrecklich." Sie starrte auf die Karte, auf der mehrere knöcherne Schädel mit lückenhaften Zahnreihen zu sehen waren. „Der da sieht böse aus", ihr Finger wanderte nach rechts, „und der da noch böser!" Entsetzt sog sie die Luft

ein. „Und der da sieht … äh, hungrig aus!“, flüsterte sie angespannt. Plötzlich hielt sie inne und legte den Finger an die Lippen. Eine Sekunde war sie still, dann hellte ihr Gesicht sich auf. „Das ist der Hinweis!“, rief sie. „Die Zahnlücken sind eine Kombination!“
Lucky und Pru sahen sich an. War die Freundin vor Angst jetzt völlig durchgedreht? Aber dann erkannten sie, was Abigail meinte. Das Totenkopfschloss an der Truhe hatte die gleichen Zahnreihen wie die Köpfe auf der Karte. Und man konnte auf den Zähnen herumdrücken!
Was Abigail schon tat. Sie verglich die Muster der Zahnlücken und drückte mal hier, mal dort. Es klickte und knirschte, und im nächsten Moment war das Schloss entriegelt.
„Klasse gemacht, Abigail!“, lobte Pru.
Die Freundin strahlte. „Danke, aber ohne die Totenköpfe hätte ich es nicht geschafft.“ Verwirrt schüttelte sie den Kopf. Hatte sie das gerade wirklich gesagt?
Lucky atmetet tief ein und schritt auf die Truhe zu.

„Gold! Gold! Gold!", jubelte Pru, während Lucky langsam den Deckel anhob.
Und plötzlich erfüllte ein Funkeln und Strahlen die Höhle, in allen Regenbogenfarben leuchtete es aus der Truhe hervor.
„Wow! Quarzkristalle!", japste Abigail.
Blitzartig wurde Lucky klar, dass es mit dem Reichtum nichts werden würde. Aber das war eigentlich auch egal. Hunderte bunte Kristalle lagerten dicht an dicht in der Truhe. Im Mondschein, der durch den Wasserfall hereindrang, warfen sie zauberhafte Muster an die Höhlendecke. Stumm und staunend beobachtete sie das Schauspiel.
„Einen neuen Sattel kann ich mir davon nicht kaufen", sagte Pru neben ihr. Sie schien aber nicht traurig zu sein. „Die sind wunderschön!", flüsterte sie andächtig.
Lucky griff sich ein paar Kristalle und verteilte sie an die Freundinnen. „Mein Dad wird riesig staunen!", sagte sie strahlend. Sie konnte es kaum erwarten, ihm den Schatz zu zeigen.

Was hätte wohl ihre Mum dazu gesagt?
Doch jemand oder etwas schien mit ihrem Fund ganz und gar nicht einverstanden zu sein. Ein fürchterliches Grollen ließ die Luft erzittern.
Die Härchen an Luckys Armen stellten sich auf.
„Der Geist!“, kreischte Abigail.
Nur Pru blieb halbwegs ruhig. „Das ist kein Geist, das ist ein Bär!“
Was die Sache nicht besser machte. Ein riesenhafter Schatten erhob sich vor dem Wasserfall.

Schreiend rannten die Mädchen davon, weiter in die Höhle hinein. Nach ein paar Minuten wagten sie es, stehen zu bleiben.
„Was machen wir denn jetzt?", keuchte Abigail.
Pru holte tief Luft und versuchte, möglichst ruhig zu sprechen. „Nur keine Panik. Bären mögen keine Menschen. Er wird sich von uns fernhalten. Es sei denn", sie zögerte kurz, „das ist seine Höhle."
Ein tiefes Fauchen war die Antwort.
„Es ist seine!", schrie Pru und stürmte los.
Lucky schnappte sich die schockstarre Abigail, die nur „Dann lieber der Geist" flüsterte und zerrte sie hinter sich her.
Durch einen breiten Stollen ging es immer tiefer hinein in die feuchte Dunkelheit. Plötzlich stolperte Lucky und schlug lang hin. Der Kristall rutschte ihr aus der Hand und landete funkenschlagend auf dem Höhlenboden.
„Das ist Feuerstein-Quarz!", schnaufte Lucky.
Was bedeutete, dass sie Feuer machen konnten.
Und mehr sehen würden.

Mit zitternden Händen hielt Pru ihr einen kleinen Ast hin. „Los, schlag Funken!"
Wie gebannt sah Abigail den Versuchen zu. Es MUSSTE klappen! Endlich fing der Stock Feuer.
„Ja!", jubelte Abigail auf.
Der Bär antwortet mit einem gruseligen Grollen.
„Nein", kreischte Abigail und raste wieder los.
„Lauft!", schrie Pru. Mit der Fackel in der Hand hetzte sie hinter den anderen her. Das Fauchen und Brüllen hörte jetzt gar nicht mehr auf. Pru glaubte schon, heißen Bärenatem in ihrem Nacken zu spüren. Sie lief so schnell wie noch nie in ihrem Leben.
Mit einem Mal sahen die Mädchen vor sich Mondlicht schimmern. Da musste ein Ausgang sein! Mit letzter Kraft stürzten sie darauf zu. Ihre Lungen brannten, die Beine schmerzten. Doch als sie nur noch wenige Schritte entfernt waren, fuhr ihnen der Schock bis in die Zehenspitzen. Da war ein Ausgang – aber er wurde von einem mächtigen Baumstamm versperrt! Darüber war ein kleiner Spalt, durch den das matte Licht fiel.

Lucky und Abigail warfen sich gegen den Stamm und drückten, so fest sie konnten. Doch er rührte sich keinen Millimeter.
„Das schaffen wir nicht", stöhnte Lucky.
Wenigstens war gerade kein Bärenfauchen zu hören.
Lucky zog sich an dem Stamm hoch und lugte durch den Spalt. Und was sie sah, ließ ihr Herz für ein paar Sekunden tanzen, trotz der schrecklichen Lage: Ein pfeilartiger Schatten mit flatternder Mähne schoss durch die helle Nacht auf sie zu.
„Spirit!", hauchte sie. Und lauter: „Da draußen ist Spirit." 
Der Hengst stoppte direkt vor dem Baumstamm und streckte ihr schnaubend seinen Kopf entgegen. Doch Luckys Arm reichte nicht bis zu ihm. Wild bäumte

Spirit sich auf. Dann packte er mit den Zähnen einen Ast am Stamm und versuchte, das gewaltige Hindernis wegzuzerren. Doch auch seine Kraft reichte nicht aus. Noch einmal bäumte er sich auf und wieherte verzweifelt. Er spürte, dass seine Reiterin in großer Gefahr war.
„Spirit", sagte Lucky traurig.
Der Hengst stand einen Moment still da und sah sie unverwandt an. Dann blitzte es in seinen Augen. Er warf sich herum und stürmte los.
Hilflos sah Lucky ihm nach. Was hatte er vor?
Pru hatte unterdessen ein paar Stöcke zusammengesucht. „Okay. Wir kämpfen gegen ihn", entschied sie.
„Gegen einen Bären?", rief Abigail. „Der frisst uns auf!"
„Wir können nicht einfach nur abwarten", erwiderte Pru grimmig. Mit einem langen Stock bewaffnet machte sie sich bereit zum Angriff.
Hastig kramte Abigail in ihren Taschen. „Ich hab noch Marshmallows. Vielleicht können wir ihn damit zähmen."

Pru starrte sie entgeistert an. „Oh ja, klappt bestimmt“, sagte sie und meinte natürlich das Gegenteil. Es war unwahrscheinlich, dass der Bär lieber Marshmallows statt ein paar leckere kleine Mädchen futterte.
Als hätte die Bestie sie gehört, hallte wieder ein Brüllen durch die Höhle. Und es kam näher.
Lucky schluckte und warf einen letzten Blick hinauf zu den Sternen. Plötzlich erinnerte sie sich an etwas. An ein kleines Pferd, das sich hinter einer Wolke versteckte. Vor einem Bären.
Lucky sprang hinunter zu Pru und Abigail. „Wir müssen uns verstecken“, rief sie und zerrte die Freundinnen zu einem anderen Baumstamm, der weiter hinten direkt vor der Höhlenwand lag. Seine Äste hatten sich so an der Decke verkeilt, dass nur ein schmaler Durchschlupf blieb, gerade groß genug für die Mädchen. Hastig quetschten sie sich nacheinander hindurch.
Das Brüllen kam immer näher, es dröhnte jetzt ohrenbetäubend zwischen den Felswänden.
Die Mädchen pressten sich an die kalte Wand in

ihrem Rücken und wagten kaum zu atmen. Tappende Schritte näherten sich ihrem Versteck, eine Nase schnüffelte an dem Baumstamm. Beißender Bärengeruch umhüllte sie wie eine Wolke. Mit einem Tatzenhieb fegte der Bär die Fackel beiseite, die Pru liegengelassen hatte. Es wurde stockdunkel in ihrem Versteck.

Schon seit über einer Stunde irrte Jim auf Fuchs durch den nächtlichen Wald. „Lucky? Wo seid ihr?", rief er alle paar Minuten und suchte die Dunkelheit mit den Augen ab. Er war überzeugt, dass den Mädchen etwas passiert sein musste!
„Hallo-o!", hallte seine Stimme zwischen den Bäumen.
Da näherte sich Hufgetrappel. Ein Pferd stürmte geradewegs auf sie zu.
Jim zog die Zügel an. „Spirit?", fragte er verwundert, als er den Hengst erkannte.
Der Braune bäumte sich auf und wieherte. Kaum war er gelandet, drehte er sich um, tänzelte auf der Stelle und blickte Jim auffordernd an.

Diesmal brauchte Jim keine Übersetzung für Spirits Verhalten. Er sollte ihm folgen. Es ging um Lucky!
„Hüa!", rief er und presste die Schenkel an. Auch Fuchs hatte verstanden. Er stürmte hinter Spirit her; im Galopp ging es zwischen Bäumen hindurch, dann einen Abhang hinunter. Hier im Wald konnte Jim wenig sehen, er musste Fuchs die Führung überlassen.
„Hüa! Los!", feuerte Jim ihn an. Noch einmal steigerte Fuchs die Geschwindigkeit, seine Beine bewegten sich so schnell wie die Stöcke bei einem Trommelwirbel. Aber sein Reiter wäre am liebsten geflogen. „Komm schon, Fuchs! Schneller!" Jetzt hatten sie die offene Ebene erreicht, und Jim spürte, wie sein Pferd sich unter ihm noch ein bisschen mehr streckte.
Da bremste Spirit abrupt vor einer Höhle.
„Woha", rief Jim und sprang aus dem Sattel. „Wo seid ihr?"
Leises Rufen aus der Höhle antwortete ihm.
„Mister Prescott!"

„Dad, wir sind hier in der Höhle!", war ein zaghaftes Stimmchen zu vernehmen.
„Mädchen!", schrie Jim und stürmte auf den Baumstamm zu. „Seid ihr verletzt?"
Im selben Augenblick erklang von drinnen ein furchterregendes Fauchen. Erschrocken sprang Jim zurück.
Kurze Stille folgte. „Noch nicht", drang Luckys klägliche Stimme nach draußen.
Wieder folgte ein markerschütterndes Brüllen. Der Bär hatte seine Beute nicht aufgegeben.
Jetzt ging es um Minuten. „Haltet durch!", rief Jim. „Ich hol euch da raus!" Er riss sein Lasso vom Sattel, schlang es um den Baumstamm und stemmte sich dann in das Seil. Ächzend zerrte er an dem Stamm, doch der rührte sich nicht.
„Dad! Hilfe!", schrie Lucky von drinnen.
Mit wachsender Verzweiflung beobachtete Spirit die vergeblichen Bemühungen von Jim. Sein Lieblingsmädchen schwebte in höchster Gefahr. Aber dieser Mensch war zu schwach, um den Stamm zu bewegen. Er und Fuchs konnten

helfen – aber dafür musste er sich das Seil um den Hals legen lassen. Spirit schnaubte, dann senkte er ergeben den Kopf. Für Lucky tat er alles.
Jim verstand sofort. In Windeseile hatte er Fuchs und Spirit angeleint.
„Und ziehen!", befahl er. Die Pferde legten sich in die Seile, auch Jim packte mit an.
Endlich ruckte der Stamm zentimeterweise vor, der Spalt wurde größer. Doch Steine auf dem Boden blockierten das Vorankommen. Die Pferde hingen schon schräg in den Seilen, so sehr strengten sie sich an.
„Noch mal!", schrie Jim und zerrte selbst wie verrückt. Und dann war der Spalt über dem Stamm so groß, dass ein Mädchen hindurchpasste.
Lucky drinnen bemerkte als Erste, dass der Fluchtweg frei war. Na ja, nicht wirklich frei, denn der Bär lauerte immer noch direkt vor ihrem Versteck.
„Abigail, los!", zischte sie und deutete auf den Spalt.

Mit einem Satz sprang Abigail auf den Stamm und wand sich durch die Lücke.
„Pru!“, rief Lucky, und auch die Freundin floh in Sekundenschnelle nach draußen.
Jetzt war nur noch sie selbst übrig. Der Bär knurrte angriffslustig.
Vorsichtig richtete Lucky sich auf und machte einen Schritt nach vorn. Da schlug eine gewaltige Kralle nach ihr. Wie der Blitz war Lucky auf dem Baumstamm. Als sie nach draußen sprang, folgte ihr wütendes Fauchen, und messerscharfe Krallen hinterließen tiefe Risse auf dem Stamm.
Lucky rannte zu ihrem Vater und warf sich in seine Arme.
„Lucky! Mädchen! Gott sei Dank, euch ist nichts passiert!“, rief Jim und drückte alle drei an sich. Er war unendlich erleichtert. Dann schob er Lucky ein Stück von sich weg. „Aber was habt ihr euch bloß dabei gedacht?“, fragte er.
Lucky sah zu Boden. „Wir … sind einfach nur der Karte gefolgt“, stammelte sie. „Wir wussten nicht, dass sie zu einem Bären führt.“

Behutsam nahm Jim ihren Kopf in beide Hände. „Ich hätte dieses Ding schon vor Jahren verbrennen sollen", murmelte er, mehr zu sich selbst. Schließlich hatte ihm schon damals ein Ungeheuer nachgestellt. Wieder umarmte er seine Tochter. „Bin ich froh, dass es euch gut geht."
Lucky drückte sich an ihn. Da spürte sie, wie etwas Weiches über ihre Haare strich. Spirit! Lucky löste sich aus der Umarmung, drehte sich zu ihm um und lehnte ihren Kopf an die Pferdestirn. Ganz still standen sie da. Ohne ihn wären sie verloren gewesen, so viel stand fest. „Wir beide sind froh", fügte Jim hinzu und strich dem Hengst über den Hals.

Mitten in der Nacht kehrten sie zurück ins Camp. Luckys Vater zündete ein Feuer an, und die Mädchen kuschelten sich in Decken und schlürften heißen Tee. Haarklein berichteten sie Jim noch einmal von ihrem Abenteuer. Das heißt, hauptsächlich redete Abigail. Sie erzählte von dem schrecklichen Fallenweg. Von der Schatztruhe und den funkelnden Kristallen. Und natürlich von ihrer Flucht vor dem Bären, mit allen gruseligen Einzelheiten. Voller Eifer sprang sie auf, formte ihre Hände wie Krallen und spielte die Szenen in der Höhle nach.

„Aber Lucky blieb ruhig, und wir haben uns versteckt, bis Sie kamen“, beendete Abigail schließlich ihren Bericht und nippte am Tee.

Jim legte Lucky einen Arm um die Schulter. „Ich würde sagen, ihr seid wirklich furchtlose Entdecker, ihr drei.“

Abigail schien die letzten beiden Wörter überhört zu haben. „Ja, ich war echt voll mutig“, bestätigte sie

mit stolzgeschwellter Brust. „Denkt nur mal an die Totenköpfe."
In diesem Augenblick knackte es im Gebüsch, etwas schleifte über den Sandboden.
Abigail fiel fast vom Baumstamm. „Resperos Geist!", krächzte sie. Holte er sie jetzt doch noch?
Doch statt des alten Goldgräbers humpelte Chica Linda in den Feuerschein. Etwas klebte an ihrem Vorderhuf und machte das seltsame Geräusch.
Pru sprang auf. Ihre Stute schlenkerte genervt ihren Vorderhuf, an dem gleich mehrere Sachen pappten: ein Blatt, ein Stöckchen und sogar ein kleines Brett. „Oh! Mein armes Mädchen, wie ist das denn passiert?", rief Pru.
„Ist halb so wild", meinte Abigail kichernd. „Bei mir zu Hause kleben fast überall Marshmallows."
„Bleib ganz ruhig, das haben wir gleich", murmelte Pru und löste geschickt einen Gegenstand nach dem anderen. Dann endlich kratzte sie auch die klebrige Masse vom Huf.
Probehalber setzte Chica Linda den Huf auf. Was für ein himmlisches Gefühl! So leicht und

unbeschwert. Schnaubend trabte sie zurück zu ihren Freunden.
Pru machte es sich wieder am Feuer gemütlich.
„Ich kann's nicht glauben, dass ihr tatsächlich den Schatz gefunden habt", meinte Jim versonnen lächelnd. Er strich seiner Tochter über die Wange.
„Wie's aussieht, hast du dich hier eingelebt. Das hatte ich immer so gehofft."
Lucky sah hinauf in den Nachthimmel. Die vier hell funkelnden Sterne waren direkt über ihnen.
Equuleus. Elegant trabte er über das Himmelszelt.
Und auf seinem Rücken tanzte Luckys Mum, mit wehenden Haaren und einem Schirm in der Hand.
„Das liegt wohl in der Familie", seufzte Lucky glücklich.

TEIL 2

DER KONKURRENZKAMPF

Reiten, reiten, reiten. Im Galopp flog Lucky auf Spirit durch den Wald, im Slalom um die Bäume herum. Der Wind sauste durch ihre Haare, Spirits Mähne tanzte auf und ab. Sie waren so schnell, dass die Umgebung zu grünen und braunen Schleiern verschwamm. Unter dem warmen Fell fühlte Lucky, wie Spirits Muskeln arbeiteten. Da, ein umgefallener Baumstamm vor ihnen auf dem Weg. Aber das war für die beiden schon lange kein Problem mehr. Mit einem mächtigen Satz segelte Spirit über das Hindernis, und Lucky saß wie festgeklebt auf seinem Rücken.
„Juhuu!", juchzte sie und reckte ihr Gesicht der warmen Morgensonne entgegen. Sie hätte ewig

so weiterreiten können. Aber die Ewigkeit war begrenzt. Die Schule wartete.
Ohne abzubremsen, sprang Spirit auf ein flaches Felsplateau, und genauso elegant ging es anschließend wieder hinunter auf die weite Prärie.
Da hörte sie von der anderen Seite schnellen Hufschlag – nicht von einem, von vielen Pferden! Im nächsten Moment erspähte Lucky auch schon die Herde: In einer Staubwolke preschten mindestens zehn Pferde heran. Sie liefen so dicht nebeneinander, dass sie fast aussahen wie ein einziges Wesen mit unzähligen wirbelnden Beinen. Hier und da klang ein übermütiges Wiehern durch die Luft.
Spirit wurde langsamer und blieb schließlich stehen. Sehnsüchtig beobachtete er, wie die Herde einen weiten Bogen lief, sich entfernte und dann wieder näher kam.
Lucky lehnte sich auf seinen Hals vor. „Wow!", flüsterte sie. „Ist das deine Herde, Spirit?"
Bisher hatte sie seine Gefährten nur einmal

gesehen: An dem Tag, als der Hengst eingefangen worden war.
Spirit schnaubte und wieherte hinter seinen Freunden her.
Sofort rutschte Lucky von seinem Rücken. Seit Spirit ihr gehörte, durfte er kommen und gehen, wann er wollte. „Lauf los!“, forderte sie ihn auf und streichelte zärtlich seine Schulter.
Der Hengst drehte den Kopf zu ihr. Bist du sicher?, schien er zu fragen.
Lucky nickte. „Dann bist wenigstens du nicht eingesperrt in vier Wänden.“ Mit einer Hand schirmte sie die Augen ab und blickte in die Richtung zurück, aus der sie gekommen waren. Da hinten lag das Dorf Miradero, eingebettet zwischen Hügeln. Die bunten Häuser leuchteten in der aufgehenden Sonne. Lucky lächelte. Sie hatte Miradero längst ins Herz geschlossen.
„Ist schon okay, ich lauf zu Fuß zur Schule“, beruhigte sie Spirit. „Hab viel Spaß.“
Für einen Moment blieb der Hengst unschlüssig neben ihr stehen. Dann bäumte er sich auf,

wieherte laut und stürmte los, seiner Herde hinterher. Rasch hatte er sie eingeholt, und mit ein paar kraftvollen Sprüngen setzte er sich an die Spitze. Ein fröhliches Wiehern begrüßte ihn. Der Chef war wieder da! Jetzt konnte der Tag beginnen. Mit wehenden Schweifen verschwanden die Pferde am Horizont.
Lucky sah ihnen nach. Zu gern wäre sie mit ihnen gekommen. Aber der Unterricht fing bald an. Seufzend drehte sie sich um und lief los.

Die Schule war in einem hübschen roten Holzhaus untergebracht. Darin gab es nur ein einziges großes Klassenzimmer, denn alle Schüler von Miradero wurden gemeinsam unterrichtet – es waren ohnehin nur zwölf Kinder. Rechts neben der Tafel stand ein Klavier, in der linken Ecke befand sich das große hölzerne Lehrerpult. Davor stand Miss Flores, die Lehrerin. Sie hatte halblanges blondes Haar und trug wie immer ein hübsches Kleid, diesmal in Türkis mit aufgedruckten Blumen.
„Der große Schulbasar ist am Freitag", erklärte sie gerade, „also sollte euer Teamprojekt etwas sein, dass für die ..."
Die Tür des Klassenzimmers wurde aufgerissen, und eine verschwitzte Lucky stolperte herein. Sie merkte gar nicht, dass sie Miss Flores unterbrochen hatte.
„Wahnsinn", berichtete sie atemlos. „Ich hab Spirits Herde gesehen, in freier Natur!" Sie beugte sich vor, um zu Atem zu kommen. „So wunderschöne Pferde und so schnell und ...!"

Strahlend blickte sie die Lehrerin an. „Oh, das hätten Sie sehen müssen."
Miss Flores verzog keine Miene. „Ja, das klingt wunderbar." Ihr Blick wanderte zur Uhr über der Tür. „Aber du bist 20 Minuten zu spät, Lucky."
Betreten sah Lucky zu Boden. „Entschuldigung. Aber ich musste eine Schlucht durchqueren und dann wieder zurück, weil ich in die falsche Richtung gelaufen bin."
Ein Kichern ging durch die Reihen, und auch Miss Flores Mundwinkel zuckten.
„Ich weiß, du musst dich hier noch an vieles gewöhnen, Lucky", sagte sie. „Aber du musst dich bemühen, pünktlich zur Schule zu kommen." Bei den letzten Worten guckte sie wieder streng. Seit ihrem ersten Schultag in Miradero hatte Lucky schon unzählige Striche fürs Zuspätkommen gesammelt.
„Ja, Miss Flores", murmelte Lucky und schlich zu ihrem Platz. Die Lehrerin verstand einfach nicht, dass sie morgens immer noch eine Menge wichtige Dinge zu erledigen hatte: mit Spirit

ausreiten. Spirit putzen. Spirits Stall sauber machen …
Pru und Abigail sahen ihr besorgt entgegen.
„Was hab ich verpasst?", flüsterte Lucky.
Pru legte warnend den Finger an die Lippen. Miss Flores konnte Privatgespräche im Unterricht nicht leiden. Was Abigails kleinem Bruder egal war.
„Wir machen Sachen für einen Basilar", plapperte Snips munter drauflos. „Um Geld für die Lehrer zu sammeln."
Wieder kicherten die anderen Schüler. Snips war ein Meister im Falschverstehen. Aber er war auch der Jüngste in der Klasse.
Miss Flores drehte sich um. „Äh, nein Snips", korrigierte sie. „Wir machen am Freitag einen Basar, das ist so etwas wie ein Markt. Und wir nehmen das Geld für unsere Schule ein, zum Beispiel für neue Bücher." Dabei strich sie über das Buch, das sie in den Händen hielt.
„Ich brauch keine neuen Bücher, Lehrerin", krähte Snips und verschränkte die Arme vor der Brust. Lesen konnte er sowieso noch nicht.

„Es heißt Miss Flores", seufzte die Lehrerin. „Und wir brauchen neue Bücher, du auch."
Sie wandte sich wieder an die gesamte Klasse.
„Ich bin schon sehr gespannt, was den Teams einfällt."
Sofort fragte Lucky dazwischen: „Wir arbeiten in Teams?"
Genervt verdrehte Miss Flores die Augen. „Das hatte ich vorhin bereits alles erklärt. Ihr bildet Zweierteams und entwerft einen Stand, an dem ihr etwas verkauft."
Lucky blickte hinüber zu Pru und Abigail, die direkt nebeneinandersaßen. Mist. Ein Zweierteam konnte wohl nicht aus dreien bestehen.
„Und die zwei, die am meisten einnehmen, werden zu Schülern des Monats gekürt", fuhr Miss Flores fort. Sie wies auf die kleine Holztafel neben dem Klavier. Dort gab es für jeden Monat ein Feld, in das ein Name eingetragen werden konnte. Acht Felder waren schon ausgefüllt. In dreien stand Maricelas Name.
Das hübsche Mädchen mit den langen roten

Haaren saß in der ersten Reihe und warf einen triumphierenden Blick in die Runde. Kein Zweifel, sie rechnete fest mit einem vierten Eintrag auf der Tafel.
Pru guckte finster zurück. Sie konnte Maricela nicht ausstehen. Und auch Lucky war an ihrem ersten Schultag mit ihr zusammengerasselt. Obwohl Maricela alles getan hatte, um ihre Freundin zu werden. In ihren Augen war Lucky nämlich etwas Besseres als die anderen Hinterwäldler hier. Weil sie aus der Stadt kam. Und weil ihr Vater ein wichtiger Mann bei der Eisenbahn war.

Bianca und Mary Pat, die Zwillinge, die sich zum Verwechseln ähnlich sahen, hatten schon eine Idee für einen Stand. „Können wir einen Küsschen-Stand machen?", fragte die kleine Bianca erwartungsfroh. Sie hatte auch schon ein erstes Opfer im Blick: Snips. Mit schmatzenden Luftküssen stürmte sie auf ihn zu.
„Ähhh", macht Snips angeekelt und drehte sich weg. Er hob die Fäuste und ließ seine Ärmchen durch die Luft sausen. „Können wir einen Box-Stand machen?", rief er. Dann hätte er wenigstens das passende Gegenmittel für diese aufdringliche Kröte.
„Nein", erwiderte Miss Flores. „Und bitte meldet euch, wenn ihr etwas sagen wollt."
Sofort zeigte Snips auf Lucky. „Sie hat sich auch nicht gemeldet", beschwerte er sich.
Die Lehrerin seufzte. „Lucky muss unsere Regeln noch lernen."
Lucky stöhnte auf. Wie ungerecht war das denn? Sie strengte sich doch schon so an: Sie meldete sich ganz oft, auch wenn sie die Antwort nicht

wusste. Sie wischte nach jeder Stunde freiwillig die Tafel. Aber Miss Flores schien das überhaupt nicht zu bemerken.
„Okay, dann bildet bitte eure Teams", kam jetzt die Aufforderung von vorne.
Sofort stürzten die Kinder kreuz und quer durchs Klassenzimmer.
„Wollen wir beide zusammen?" – „Du hast es mir schon versprochen …" – „Ich weiß, was wir machen können …", schallten die Stimmen durch den Raum. Die ersten Paare durften nach draußen gehen, um dort weiter zu beratschlagen.
Lucky spazierte zu Pru und Abigail hinüber. „Ich nehme an, dass ihr zwei immer ein Team bildet", fragte sie vorsichtig lächelnd.
Abigail winkte ab. „Nein, nein, nicht immer …" Sie stockte. „Nur jedes Mal."
Luckys Lächeln erlosch.
„Uns wird schon noch was einfallen", warf Pru hastig ein.
„Ich kann Partnerin von euch beiden sein", bot Abigail an. „Ich trag Perücken wie dieser

Schauspieler, der alle Rollen in einem Stück gespielt hat und als Königin Elisabeth verkleidet eine Bank ausgeraubt hat." Ihre Stimme war immer lauter geworden, wieder mal ging ihre Fantasie mit ihr durch. „Dann werden wir drei reich!", rief sie strahlend.
In diesem Moment polterte etwas über die Holzdielen. Verwundert drehten die Mädchen sich um. Snips! Er versuchte, seinen Esel an einem Strick ins Klassenzimmer zu zerren, doch der wehrte sich mit allen vier Hufen.

„Zum letzten Mal, Snips", schimpfte Miss Flores. „Dein vierbeiniger Freund kann nicht dein Partner sein."
Snips Kopf war vor Anstrengung schon fast so rot wie seine Haare. „Er heißt ‚Herr Karotte'", krakeelte er. „Und wieso nicht?"
„Weil er kein Schüler unserer Schule ist." Miss Flores atmete tief durch. „Und er ist ein Esel!"
Aber das war für Snips kein Argument. „Esel müssen auch etwas lernen!", fand er.
Von hinten kam Maricela auf die Freundinnen zugeschwebt.
„Lucky", zwitscherte sie, „ich freu mich ja so sehr, dass wir beide ein Team sind. Wir werden ein Herz und eine Seele sein."
Verwundert starrte Lucky sie an. Hatte sie etwas verpasst?
„Nein, werdet ihr nicht!", fuhr Pru dazwischen. Doch dann hielt sie inne. Lucky hatte ja wirklich noch niemanden gefunden.
„Wer hat noch keinen Partner?", fragte Miss Flores prompt in die Runde.

Snips neben ihr winkte wie ein Wilder.
„Wir finden schon jemanden für dich", beruhigte die Lehrerin den Kleinen. Ihr Blick blieb an Lucky hängen. „Hast du schon jemanden?", wollte sie wissen.
Lucky schluckte und sah abwechselnd den nervigen, nasebohrenden Snips und die genauso nervige Zickenkönigin der Klasse an. Eine tolle Wahl. Jetzt steckte Snips sich auch noch einen Finger ins Ohr und betrachtete interessiert das, was er da rausholte. Lucky musste innerlich würgen. Snips wäre perfekt für einen Stand zum Wettbohren in der Nase – aber ohne sie.
„Maricela und ich sind Partnerinnen", erklärte Lucky seufzend. Dabei guckte sie, als wäre sie gerade zu einer Woche Kloputzdienst verdonnert worden.
Auch ihre Freundinnen Pru und Abigail sahen mittelschwer entsetzt aus.
„Entschuldige", wisperte Abigail und hob die Hände.
Nur Maricela lächelte höchst zufrieden.

Als die Schulglocke den Unterricht beendete, lief Lucky mit Pru und Abigail nach draußen. Neben der Schule gab es eine kleine Koppel, in der Chica Linda und Boomerang immer auf ihre Reiterinnen warteten. Was vor allem Boomerang heute äußerst langweilig fand. Chica Linda stand schon den ganzen Morgen vor ihrem Heu und bewegte die Hufe keinen Millimeter. Dabei hätte Boomerang so gern Fangen mit ihr gespielt.
„Ist das nicht irgendwie schräg, dass wir gegeneinander antreten?", fragte Lucky, während sie zur Koppel hinüberspazierten.
Pru grinste. „Dass du was mit Maricela zusammen machst, ist schräg."

Das fand Lucky natürlich auch. Aber hatte sie eine Wahl gehabt? „Jedenfalls war sie schon oft Schülerin des Monats“, erwiderte sie. „Mit ihr werde ich sicher gewinnen.“ Was, nebenbei bemerkt, ihrer Schulkarriere hier nicht schaden konnte.

Pru jedoch schien das als Kampfansage zu verstehen. „Keine Chance“, sagte sie sofort. „Mit ‚Schülerin des Monats‘ bin ich diesmal dran. Ich kann es fühlen, wir gewinnen ganz sicher.“

Erstaunt sah Lucky sie von der Seite an. „Ach ja?“

Entschiedenes Nicken von Pru. Dann merkte sie offenbar, dass sie etwas übers Ziel hinausgeschossen war. „Aber du schlägst dich bestimmt auch gut“, fügte sie schnell hinzu.

Doch Lucky ließ sich nicht so leicht einschüchtern. „Ich hab keine Angst vor freundschaftlicher Konkurrenz“, stellte sie klar. Sie grinste. „Das heißt, vielleicht hab ich ja auch überhaupt keine Konkurrenz.“

Prus Mine verfinsterte sich schlagartig.

Eilig schob Abigail sich dazwischen. „Weil wir alle

gleich gut abschneiden und uns gegenseitig die Haare flechten werden zur Feier des Tages?"
Flehend sah sie die Freundinnen an. Es war nicht das erste Mal, dass die beiden Hitzköpfe aneinandergerieten.
Lucky verschränkte die Arme. „Nein, weil wir haushoch gewinnen werden."
„Vergiss es!", rief Pru und lachte. Doch es klang nicht freundlich.
„Haha", machte Lucky nur. Sie war beleidigt. Wie gut, dass in diesem Moment Spirit angetrabt kam. Er wusste mittlerweile genau, wann die Schule zu Ende war. Und meistens war er pünktlich zur Stelle. Er lief direkt zu Lucky und prustete ihr liebevoll ins Gesicht.
„Wollen wir zum Höhenangst-Hügel reiten?", schlug Pru vor. „Ich wette, Chica Linda und ich sind zuerst da."
Als die Stute ihren Namen hörte, wachte sie aus ihrem Fresskoma auf und trippelte zum Tor.
Auch Boomerang schnaubte glücklich. Endlich passierte etwas.

Doch Lucky machte ihm einen Strich durch die Rechnung. Nachdenklich streichelte sie über Spirits Stirn. „Bist du noch fit?“, fragte sie. „Du bist schon so viel mit der Herde gerannt.“
Unbemerkt war Maricela neben sie getreten. „Lucky, wir sollten anfangen, unseren Stand zu bauen“, schaltetet sie sich ein.
„Jetzt?“, fragte Lucky erstaunt.
„Das machen wir doch in der Schulzeit“, sagte Pru gleichzeitig.
Maricela machte eine wegwerfende Handbewegung und erklärte, dass sie mehr als die paar Stunden brauchen würden, wenn sie auf der Gewinnertafel stehen wollten. „Als einzige dreifache ‚Schülerin des Monats‘, kann ich euch versichern, dass daraus nur etwas wird, wenn man den entsprechenden Einsatz bringt“, fuhr sie fort. Mit einem überheblichen Lächeln flippte sie ihre langen roten Locken über die Schulter.
Prus Mund klappte auf. Diese blöde Strebertussi! Bekümmert sah zu Lucky Boden. „Ich möchte Miss Flores zeigen, dass ich auch was richtig

machen kann“, murmelte sie. „Und es wäre doch der beste Beweis, wenn ich Schülerin des Monats werde.“
Maricela beugte sich nah an sie heran. „Vertrau mir, das bringt reichlich Vorteile mit sich“, wisperte sie in Luckys Ohr.
Von Pru kam nur ein Knurren.
Seufzend kraulte Lucky den Hengst unter seiner langen Stirnlocke. „Tut mir echt leid, morgen machen wir einen extragroßen Ausritt“, versprach sie ihm.
Spirit schnaubte verwundert. Wie, heute kein Ausritt? Und wer war dieses rothaarige Mädchen, das Lucky jetzt unterhakte und fortschleifte?
„Viel Spaß!“, konnte Lucky ihnen gerade noch zurufen.
Maricela drehte im Weggehen hoheitsvoll den Kopf. „Ja, ‚tierisch‘ viel Spaß wünsch ich“, sagte sie und kicherte hämisch.

Pru zog die Augenbrauen so eng zusammen, dass sie wie ein Strich aussahen. Wütend stapfte sie hinüber zur Scheune ihres Vaters.
Abigail hüpfte hinter ihr her. „Wollen wir nicht losreiten?", fragte sie.
Pru schnaubte nur. „Nichts da, wenn die an ihrem Stand arbeiten, dann wir auch." Auf ihrer Stirn stand eine steile Zornesfalte. „Ich lass Maricela nicht schon wieder gewinnen. Sie hat mir alles vor der Nase weggeschnappt."
Abigail bemühte sich, mit ihr Schritt zu halten. „Ich ... dachte, das Thema hätten wir hinter uns."
„Tja, falsch gedacht", knurrte Pru. Ihr Kopf spulte wie auf Knopfdruck alle Szenen aus den vergangenen Jahren ab, in denen sie gegen Maricela den Kürzeren gezogen hatte. Wie damals auf dem Jahrmarkt, als Maricela einen Riesenteddy gewann und Pru nur einen mickrigen Schlüsselanhänger. Oder das Schultheaterstück, in dem Maricela die Hauptrolle ergattert hatte. Für Pru war die sehr langweilige Rolle der Sonnenblume übrig geblieben.

„Und jedes Mal, wenn ich nahe dran bin, Schülerin des Monats zu werden, tanzt sie an und nimmt mir das auch noch weg", fauchte Pru. Wie schaffte Maricela es bloß, alle Sachen immer schöner und besser als andere zu machen? Sie ballte die Fäuste. Jetzt war Schluss damit. „Wir werden den besten Stand haben und wir zeigen es Maricela!"
„Aber Lucky ist mit ihr in einem Team", wandte Abigail ein.
Abrupt blieb Pru stehen. „Ach ja", stöhnte sie, und alle Luft schien aus ihr zu entweichen. „Ich will Lucky überhaupt nicht schlagen, nur Maricela. Aber dafür muss ich auch gegen Lucky gewinnen." Ihre Schultern sackten nach unten. Abigail wusste nicht, was sie sagen sollte. Das war wirklich eine vertrackte Situation. Zaghaft klopfte sie Pru auf die Schulter. Irgendwie würde es schon werden. Oder?

Lucky ahnte nichts von Prus schwarzen Gedanken. Maricela hatte sie zu sich nach Hause eingeladen, und nun saßen sie zusammen auf dem Balkon. Einem riesigen, weiß gestrichenen Holzbalkon. Genau wie der Rest des Hauses wirkte er herrschaftlich und ein bisschen einschüchternd. Kein Wunder, schließlich war Maricelas Vater der Bürgermeister von Miradero. Es gab französische Schokocroissants, dazu heißen Kakao aus feinen Porzellantassen. Lucky hatte fast Angst, sie hochzuheben, weil sie so zerbrechlich wirkten.
„Nun, ähm, ein toller Balkon", versuchte sie, ein Gespräch in Gang zu bringen.

Maricela lächelte geschmeichelt. „Nicht wahr? Mein kleiner Zufluchtsort. Mon sanctuaire petit“, fügte sie auf Französisch hinzu.
Fragend sah Lucky sie an, aber Maricela war aufgestanden und blickte vom Balkon über die Straße. Unten flitzte gerade Bianca hinter Snips her. Offenbar war sie immer noch wild entschlossen, ihn zu küssen, auch ohne Stand. Snips flüchtete schreiend.
Maricela verdrehte die Augen. „Kinder sind ja so nervtötend.“ Es hörte sich an, als wäre sie selbst mindestens zwanzig Jahre alt und nicht gerade mal zwölf. Sie griff nach dem silbernen Tablett und bot Lucky Nachschub von den Croissants an. Genießerisch biss Lucky in das süße Gebäck.
„Mmm, die sind echt lecker!“
„Die Köchin ist ein Glücksgriff“, erklärte Maricela und kicherte geziert. „Aber sag es ihr nicht, sonst steigt es ihr noch zu Kopf.“
Lucky lehnte sich auf ihrem Stuhl zurück und blinzelte in die Sonne. Es war angenehm, einfach so dazusitzen und etwas Leckeres zu essen und zu

trinken. In der Stadt hatte sie das früher öfter gemacht.
„Das erinnert mich an ein französisches Café, in das mich mein Vater manchmal ausgeführt hat", erzählte sie. „Ich trank immer einen Kakao und er diesen kleinen, starken Kaffee. Wir haben stundenlang da gesessen und geredet."
„War das zufällig ‚La Petite Boulangerie'?", fragte Maricela aufgeregt.
Lucky nickte. „Ja! Genau, woher kennst …?"
„Bei meinem letzten Besuch in der Stadt war ich mit meiner Großmutter da", fiel Maricela ihr ins Wort. „Ich finde das Café reizend."
Von unten brüllte Snips in Biancas Richtung: „Lass mich in Ruhe! Hau ab!"
Lucky beachtete ihn gar nicht. In Gedanken war sie weit weg.
„Die kleinen Tische und die wunderschöne Aussicht", ergänzte sie begeistert.
„Ich durfte einen Cappuccino trinken, danach konnte ich drei Tage lang nicht mehr schlafen."
Maricela musste so lachen, dass sie grunzte wie

ein Schweinchen. „Oh!“, sagte sie und schlug sich die Hand vor den Mund. Dann musste sie noch mehr lachen.
Lucky seufzte. „Manchmal fehlt mir die Stadt“, gab sie zu. Es waren nur wenige Dinge, die sie vermisste, aber die Café-Stunden mit Papa gehörten dazu.
Auch Maricela blickte betrübt. „Es wäre schön, wenn wir hier auch so ein Café hätten“, meinte sie träumerisch.
Lucky kniff die Augen zusammen – und hatte plötzlich einen Geistesblitz. „Aber das wäre doch möglich“, rief sie. „Wir machen als Stand am Freitag einfach ein französisches Café! Mit leckerem Gebäck und heißer Schokolade.“ Sie hopste auf dem zierlichen Gartenstuhl auf und ab, dass dieser bedenklich knirschte. Das war eine Spitzenidee, da musste sie sich selbst loben.
Maricela klatschte in die Hände. „Oh! Ich wusste gleich, als du hier ankamst, alles wird anders“, rief sie verzückt. „Das macht richtig Spaß!“
Kichernd lehnte Lucky sich vor. „Ja, ich hätte nie

gedacht, dass ich mit dir mal Spaß haben würde."
Erschrocken presste sie die Hand auf den Mund.
Ups! Jetzt hatte sie sich verplappert. „Ich meine, ich hab immer gedacht, dass ich mit dir Spaß haben würde", redete sie hastig weiter. „Das war eigentlich das, was ich sagen wollte."
Aber Maricela hatte gar nicht mehr richtig zugehört. Angestrengt dachte sie darüber nach, ob in ihrem Café blaue oder hellgrüne Tischdecken hübscher wären. Und woher sie noch mehr von diesen französischen Servietten kriegte …
Lucky atmete auf. Das war gerade noch mal gut gegangen.

Am nächsten Morgen war Lucky schon vor dem Weckerklingeln wach. Hervorragend. Heute würde sie nicht zu spät kommen! Sie schlüpfte in ihre braune Hose und das weiße Shirt, zog die

geerbten Stiefel ihrer Mum an und lief nach unten. Noch war niemand von den Erwachsenen wach, nicht ihr Dad und auch nicht Tante Cora. Lucky schnappte sich einen Apfel aus der Küche und trabte hinaus auf die Veranda. Auf der Wiese davor wartete wie jeden Morgen Spirit auf sie. Heute begrüßte er sie allerdings nicht freundlichen brummelnd, sondern drehte ihr das Hinterteil zu. Lucky wusste warum.
„Entschuldige, dass ich gestern nicht mit dir ausgeritten bin", sagte sie zu seinem Popo.
Spirit starrte in die Luft. Nur ein Ohr drehte sich in ihre Richtung.
„Komm schon, du weißt, dass ich Miss Flores beeindrucken muss", flehte Lucky.
Ein beleidigtes Schnauben war die Antwort.
Lucky seufzte. Im Moment konnte sie es wohl niemandem recht machen. „Ich war immer so gut in der Schule, aber hier in Miradero mach ich alles falsch", murmelte sie und stützte sich auf das Geländer der Veranda.
Da stupste sie etwas sanft gegen die Schulter,

eine weiche Pferdenase schnoberte über ihre Wange. Spirit hatte ihr verziehen.
Lächelnd hielt Lucky ihm den Apfel hin und ließ ihn davon abbeißen. „Aber wenn ich erst Schülerin des Monats bin, dann wird alles besser", erklärte sie dem Braunen. Sie sah ihren Namen auf der Holztafel schon groß vor sich.
„Miss Flores wird mich lieben. Ich werde jede Antwort wissen und nie mehr zu spät kommen …"
In ihr seliges Lächeln hinein läutete die Schulglocke unten im Dorf.
„Oh nein!", schrie Lucky panisch. „Ich komm zu spät!"
Spirit wusste, was das bedeutete. Der Schulweg musste mal wieder im Renngalopp zurückgelegt werden. Von der Veranda aus sprang Lucky auf seinen Rücken.
„Lauf! Schnell!", rief sie und betete, dass Miss Flores heute vielleicht ein klitzekleines bisschen zu spät kam. Sonst sah es finster aus für sie.

Während Lucky im Galopp durchs Dorf jagte, ging es im Klassenzimmer schon hoch her. Pru und Abigail kramten geschäftig in einer Holzkiste, zwei andere Kinder stritten sich darüber, wer die bessere Idee für einen Stand hatte. Bianca war immer noch Snips auf den Fersen. Der hatte hinter einem großen Jungen Deckung gesucht. Turo, so hieß der Junge, half ab und zu im Stall von Prus Vater.

„Wollen wir die Partner tauschen?", fragte Bianca und deutete auf ihre Zwillingsschwester, die ihr wie ein Schatten folgte. „Mary Pat wechselt zu Turo. Und dann, Snips, sind wir beide Partner. Was meinst du?"

Sie lächelte so breit, dass man ein Pausenbrot in ihren Mund hätte schieben können.
Turo, der gerade am Tisch zwei Bretter zusammennagelte, schüttelte den Kopf. „Hey, vergiss das schnell", brummte er.
„Die Lehrerin hat gesagt, Turo und ich sind ein Team", schaltete Snips sich ein. Was ihm offenbar nicht passte. Hinter vorgehaltener Hand flüsterte er Bianca zu: „Insgeheim ist Herr Karotte mein Partner. Wir haben die beste Idee. Wir zeigen Kraft-Kunststücke!" Er zerrte an Turos Bein, um ihn hochzuheben. Natürlich ohne Erfolg, denn Turo war ungefähr doppelt so groß und dreimal so schwer wie Snips.
Leise öffnete sich die Klassentür. Lucky spähte hinein. Ihr Blick wanderte nach rechts, dann nach links. Die Luft schien rein zu sein, keine Miss Flores. Doch kaum hatte sie einen Schritt in den Raum gemacht, wäre sie fast mit ihr zusammengestoßen. Die Lehrerin hatte direkt neben der Tür gelauert.
„Du bist zu spät, Lucky, schon wieder", sagte sie

ungehalten. „Ich dachte, wir hätten das geklärt." Ihre Stimme war genauso eisig wie ihr Blick.
„Ja, genau. Und ich wollte auch …", stammelte Lucky. „Also …" Verflixt, was sollte sie bloß sagen? Dass sie zu lange mit Spirit geplaudert und die Zeit vergessen hatte?
Da schob sich Maricela neben sie. „Tut mir leid, Miss Flores. Das war meine Schuld", flötete sie. „Ich habe Lucky gebeten, ein paar Rezepte für unseren Café-Stand zu holen."
Sie flunkerte, ohne auch nur ein bisschen rot zu werden. Lucky lächelte unsicher, aber Maricela war noch nicht fertig. „Ein Stand mit Eleganz und französischen Leckereien. Und es war allein Luckys Idee", pries sie ihre Partnerin an.
Miss Flores Eisgesicht schmolz. „Ah, bien, ein gutes Buch und ein guter Kaffee, was wünscht man sich mehr", schwärmte sie und sah träumerisch an die Zimmerdecke. Da oben entdeckte sie offenbar doch noch ein paar Wünsche. „Zeit vielleicht noch, und mehr Geld", überlegte sie.

Abrupt wandte sie sich wieder den Mädchen zu. „Also gut, zurück zu dir." Ein strenger Blick traf Lucky. „Ich drücke noch mal ein Auge zu. Aber es wird nicht wieder vorkommen, verstanden?"
Lucky nickte stumm und beschloss, den Wecker noch mal eine Viertelstunde vorzustellen.
Wirklich nett, dass Maricela sich heute für sie eingesetzt hatte. „Ich danke dir", sagte sie und meinte es auch so. „Wollen wir nachher bei mir an unserem Stand arbeiten?"
Strahlend hakte Maricela sich bei ihr ein. „Oh, liebend gern", rief sie.
Die beiden merkten nicht, dass sie beobachtet wurden. Pru hatte die Strafpredigt genau verfolgt. Stirnrunzelnd stieß sie Abigail an und deutete mit dem Kopf auf Maricela und Lucky, die gemeinsam nach draußen liefen. Waren die beiden jetzt etwa so was wie Freundinnen?

Auf der Koppel vor der Schule warteten wie immer Boomerang und Chica Linda. Dem kleinen Schecken war langweilig. Mal wieder. Seine Freundin mümmelte schon seit über einer Stunde an ihrem Heu herum und beachtete ihn gar nicht. Höchste Zeit, hier mal etwas Stimmung reinzubringen.
Boomerang nahm ein paar Strohhalme ins Maul und warf sie in Chica Lindas Richtung. Treffer! Die Halme landeten direkt in ihrem Gesicht. Die hellbraune Stute schnaubte genervt. Aber wenigstens hob sie endlich den Kopf und sah zu ihm rüber. Aufgeregt tänzelte Boomerang hin und her. Oh ja, würden sie jetzt endlich Fangen spielen? Aber nichts da. Chica Linda trabte elegant eine Runde über die Koppel, um sich die Beine zu vertreten – und versenkte ihre Nase wieder im Heu.

Boomerang ließ den Kopf sinken und blubberte enttäuscht. Chica Linda war wirklich eine Schlaftablette. Wo blieb nur sein Kumpel Spirit? Mit dem hatte er immer jede Menge Spaß …

In der dritten Stunde durften alle Schüler an ihrer Stand-Idee weiterarbeiten.
Langsam schlenderte Lucky zu Pru und Abigail rüber, die mit einem Topf an dem gusseisernen Ofen hinten im Klassenzimmer hantierten.
„Spionierst du die Konkurrenz aus?", fragte Pru. Es klang schnippisch.
Unbehaglich zog Lucky die Schultern hoch.
„Ertappt, ja." Neugierig kam sie näher. „Was macht ihr zwei?"
Abigail hielt ihr einen Baumwollfaden hin. „Wir machen Kerzen. Willst du mal?"
In dem Topf befand sich geschmolzenes Wachs. Pru nahm eine angefangene Kerze. „Du tauchst

sie ein, lässt sie ein bisschen trocknen und tauchst sie dann wieder ein", erklärte sie.
Bewundernd betrachtete Lucky die hübsch gedrehte Form. „Das werden dann genau solche Kerzen, wie man sie im Laden kaufen kann?"
„Nein", sagte Abigail empört, „die werden viel, viel besser. Die werden schön lang, mit einem Docht, sind aus Wachs und brennen gut, genau wie die, die man im Laden kaufen kann." Sie verstummte. Das waren exakt Luckys Worte.
„Sekunde …", warf sie hastig ein, aber Pru redete schon weiter. Ungefragt erklärte sie Lucky, dass sie gestern einen tollen Ausritt verpasst hätte.
Abigail guckte verwirrt. „Aber wir sind doch gar nicht …" Da bemerkte sie Prus warnenden Blick.
„Ich meine, ja, der war toll, der Ausritt gestern", sagte sie schnell. In gespielter Begeisterung riss sie die Arme hoch. „Echt toll!", wiederholte sie extra laut.
„Du musstest ja leider Maricela ertragen", meinte Pru lauernd.
Lucky schüttelte den Kopf. „So war das nicht,

eigentlich hatte ich sogar Spaß mit ihr", sagte sie arglos. „So übel ist sie gar nicht."
Pru sah aus, als wollte sie gleich explodieren. „So übel ist sie nicht?", fauchte sie. Wütend drehte sie sich zum Wachstopf und tunkte ihre Kerze bis zum Anschlag hinein. „Lucky, du bist noch neu hier. Du kennst Maricela nicht richtig, glaub mir."
Wie aufs Stichwort stand plötzlich das rothaarige Mädchen hinter ihnen.
„Lucky, was machst du hier?", fragte sie, als wäre es vollkommen irre, ausgerechnet zu Pru und Abigail zu gehen.
Lucky zeigte ihr den Docht. „Pru und Abigail machen Kerzen für den Basar", erklärte sie.
„Oh, wie süß!", flötete Maricela, verzog dabei aber spöttisch den Mund. „Ihre Mütter werden bestimmt welche kaufen."
Empört stemmte Lucky die Hände in die Hüften. „Nein, ich glaube, alle werden welche kaufen", verteidigte sie die Freundinnen.
Maricela lachte gekünstelt. „Bitte, als würden ein paar selbst gemachte Kerzen mit unserem

eleganten Café mithalten können." Sie krallte sich Luckys Arm und zerrte sie unerbittlich mit sich. „Auf wessen Seite stehst du eigentlich?", zischte sie ihr ins Ohr.

Pru sah ihnen nach. Sie kochte vor Wut. Am liebsten hätte sie Maricela in den Wachstopf gestopft. Stattdessen tunkte sie ihre Kerze wie wild immer und immer wieder ein, bis ein unförmiger dicker Klumpen an dem Docht hing. Als sie merkte, was sie getan hatte, stöhnte sie auf. So ein hässliches Ding würde nicht mal ihr Vater kaufen.

Nach Schulschluss trafen sich Pru, Abigail und Lucky wie gewohnt an der Pferdekoppel. Pünktlich kam auch Spirit angetrabt. Boomerang und Chica Linda sahen den Mädchen sehnsüchtig entgegen. Es wurde mal wieder Zeit für ein Abenteuer!

Das fand Abigail zum Glück auch. „Wohin reiten wir heute? Zum Klapperschlangen-Feld?", schlug sie vor.

Pru nickte lächelnd und wollte schon das Koppeltor öffnen, doch Lucky starrte verlegen auf ihre Stiefelspitzen.

„Ich kann nicht … ", druckste sie herum.

„Ach, keine Angst, ist nur der Name", winkte

Abigail ab. „Es gibt da keine Klapperschlangen.“ Sie überlegte kurz. „Na ja, ein paar vielleicht schon, aber nicht mehr als überall sonst hier.“
Lucky zuckte kurz zusammen. Dann schüttelte sie den Kopf. „Maricela und ich müssen an unserem Stand arbeiten“, erklärte sie. Zärtlich strich sie über Spirits Nase. „Tut mir leid, mein Junge, aber bis nach Hause reiten wir wie der Wind.“ Sie schwang sich auf seinen Rücken, winkte kurz den Mädchen zu und galoppierte los.
Traurig sah Abigail ihnen nach. „Wir machen auch keinen Ausritt, oder?“
„Da fragst du noch?“, fauchte Pru. „Wenn die arbeiten, arbeiten wir auch.“ Sie drehte sich um und verschwand wieder im Schulhaus.
Boomerang wieherte und stupste seine Reiterin an. Schon wieder kein Ausritt?
Abigail ließ den Kopf hängen. Dieser blöde Stand. Dieser blöde Wettstreit zwischen Pru und Lucky. Der Schecke senkte ebenfalls den Kopf und starrte trübsinnig vor sich hin.

Lucky und Maricela hatten sich in Luckys Zimmer zurückgezogen, um die Leckereien für den Stand zu planen. Lucky saß an ihrem Schreibtisch und studierte Rezepte in einem Buch. Maricela bewunderte die Aussicht in dem halbrunden Erker.

„Wir wäre es mit Käsecroissants?", fragte Lucky.

Maricela kicherte. „Verrat es niemandem, aber von Käse muss ich aufstoßen." Wieder kam das Schweinchen-Grunzen aus ihrer Nase.

Auch Lucky musste lachen. Dieses Geräusch passte so gar nicht zu der vornehmen Maricela.

„Dann vielleicht Schokoladencroissants?", schlug sie vor.

„Ah! Oui! Oui!" Maricela klatschte in die Hände. Sie drehte sich zu dem Regal unter dem Fenster, auf dem einige Pokale standen. „Du hast einen Lesewettbewerb gewonnen?", fragte sie und hob eine der Auszeichnungen hoch, um die Inschrift zu lesen. Dann fiel ihr Blick auf die Platzierungsschleifen, die daneben an der Wand hingen. „Oh! Und all die Tennisauszeichnungen! Und der Preis für ein Physikprojekt!" Bewundernd sah Maricela zu ihr rüber. „Lucky, du warst wie ich in deiner alten Schule!"

Lucky seufzte. „Erzähl das Miss Flores", murmelte sie. Bisher war keine ihrer Noten besser als Drei gewesen.

„Das wird schon", versprach Maricela. „Halt dich an mich, und du wirst nicht nur gewinnen, sondern auch Schülerin des Jahres werden." Mit diesen Worten drückte sie Lucky den glänzenden Pokal in die Hand, als hätte sie die Auszeichnung schon gewonnen.

Am nächsten Morgen geschah ein kleines Wunder. Um fünf vor acht bremste Spirit vor dem roten Schulhaus. „Genau pünktlich", jubelte Lucky. „Danke, Spirit." Sie klopfte seinen Hals,

sprang von seinem Rücken und folgte den anderen Kindern ins Klassenzimmer.
Spirit wieherte stolz mit erhobenem Kopf und galoppierte dann davon, seine Herde suchen.
Sehnsüchtig blickte Boomerang ihm nach. Er wollte auch so frei sein! Es war schrecklich langweilig, den ganzen Tag auf einem kleinen Rechteck eingesperrt zu sein. Nachdenklich betrachtete er den Zaun rundherum. So hoch war der eigentlich gar nicht, fand er. Schnaubend senkte er den Kopf und scharrte im Sand.
Chica Linda warf ihm einen beunruhigten Blick zu. Sie kannte die verrückten Einfälle ihres Freundes. Er wollte doch nicht etwa …?
Doch, genau das wollte er. Wiehernd stieg der Schecke auf die Hinterbeine und

preschte los, direkt auf den Zaun zu. Aufgeregt prustend näherte er sich dem Hindernis.
Chica Linda kniff die Augen zusammen. Das kleine Dickerchen war bisher nicht höher gesprungen als über einen Baumstamm. Der Zaun dagegen war größer als er selbst.
Da krachte es auch schon. Boomerang hatte sich etwas verschätzt und war nicht über, sondern mitten in den Zaun hineingesprungen. Strampelnd klemmte er zwischen der oberen und der unteren Latte. Chica Linda hätte sich am liebsten ihre Hufe vor die Augen gehalten. Doch dann krachte es noch einmal, die Zaunlatten flogen in alle Richtungen, und Boomerang war frei. Er schüttelte sich und trabte

mit stolzgeschwellter Brust los, am Schulhaus vorbei, den Hügeln entgegen.
Verdattert starrte Chica Linda ihm nach. Ein Heuhalm segelte aus ihrem offenen Maul. Das hätte sie ihm nicht zugetraut. Als Boomerang den ersten Hügel hinaufstürmte, genau wie Spirit vorhin, schickte sie ihm ein sehnsüchtiges Wiehern hinterher. Doch ihr Freund war fort.
Unruhig lief Chica Linda auf der Koppel auf und ab. Plötzlich war es so leer hier. Leer und langweilig. Selbst auf das Heu hatte sie keine Lust mehr. Was hatte Boomerang noch damit gemacht? Probehalber nahm sie ein paar Halme ins Maul und warf sie hoch, sodass sie auf sie herunterregneten. Hihi, eigentlich ganz lustig.
Nachdenklich betrachtete sie dann wieder das Loch im Zaun. Durfte sie da durch? Einfach abhauen? Aber was würde Pru dazu sagen?
Während Chica Linda hin und her überlegte, galoppierte Boomerang munter über die Prärie. Er hatte Gesellschaft gefunden: Spirits Herde hatte ihn in ihre Mitte genommen. Seine kurzen

Beine wirbelten über den staubigen Boden, er wieherte hell. Von vorne antwortete Spirit mit kräftiger Stimme. Boomerangs Herz pochte glücklich. Endlich erlebte er ein Abenteuer!

Am nächsten Morgen kamen Lucky und Maricela mit Tabletts voller Schokocroissants in die Schule. Die hatten sie gestern Abend mit Tante Coras Hilfe gebacken. Jetzt sollten die Kinder in der Klasse das Gebäck testen.

„Gratisproben!", pries Maricela an und hielt Bianca ihr Tablett unter die Nase.

„So etwas Leckeres werdet ihr in eurem Leben nie wieder genießen dürfen." Bescheidenheit war noch nie Maricelas Stärke gewesen.
Mary Pat kaute schon genüsslich. „Mmm", schmatzte sie mit vollen Backen.
„Abgesehen von morgen an unserem Stand", fügte Lucky hinzu.
„Oh ja, abgesehen von morgen", frohlockte Maricela.
Lucky ging mit ihrem Tablett zu Turo, der an einer Holzkugel herumschnitzte.
„Was machst du da?", fragte sie neugierig.
Der Junge legte den Finger an die Lippen und verriet nur, dass es sich um eine Überraschung für Snips handelte.
Der Kleine neben ihm biss gerade in zwei Croissants gleichzeitig. „Hoffentlich eine Truhe mit 'ner Geheimtür", quetschte er zwischen zwei Bissen hervor, dass die Krümel nur so über den Tisch regneten. „Ich mach nämlich Zaubertricks an unserem Stand. Und Herr Karotte wird mein reizender Assistent sein." Dann fiel ihm etwas ein,

und er schlug sich mit der Hand vor die Stirn.
„Ah! Zu blöd! Er hat Angst vor Kaninchen“, stöhnte er.
Lucky lief in die erste Reihe, in der Pru und Abigail vor ihren Kerzenkisten saßen.
Als Pru sie kommen sah, zischte sie in Abigails Richtung: „Tu so, als hätten wir Spaß.“
Verwundert riss Abigail die Augen auf. Den hatten sie doch, oder?
Aber Pru wollte mehr. Sie prustete los, als hätte sie geraden den besten Witz der Welt gehört.
Haha, es war einfach zu lustig, mit Abigail Kerzen zu basteln!
Lucky bemerkte das Theater nicht. „Hallo, ihr zwei“, sagte sie freundlich und hielt Pru das Tablett hin. „Probiert mal, wofür morgen alle Schlange stehen werden.“

Abigail sprang auf. „Oh, mit Vergnügen!", sagte sie und wollte schon zugreifen.
Doch Pru, deren Lachanfall von einer Sekunde zur nächsten versiegt war, stieß sie unsanft zurück.
„Wir haben keine Zeit für eine Snack-Pause", bellte sie. „Wir müssen unsere umwerfenden neuen Farbkerzen machen." Wie ein Revolverheld warf sie eine der Kerzen in die Luft und fing sie geschickt wieder auf. „Wir nehmen morgen garantiert das meiste Geld auf dem Basar ein. Damit zeigen wir es Maricela – und dir", sagte sie triumphierend. „Nichts für ungut."
Lucky hatte Prus Vorstellung ungerührt zugesehen. „Ich nehm es nicht für ungut", erwiderte sie. „Aber das ist meine Chance, Miss Flores von mir zu überzeugen. Also werde ich mich richtig anstrengen. Das verstehst du doch bestimmt!"
Pru wedelte mit der Hand, als wäre Lucky eine nervige Fliege. „Klar, streng dich ruhig an", erwiderte sie gönnerhaft. „Wir schlagen euch sowieso locker."

Entschlossen streckte Lucky ihr die Hand hin. „Gut, möge der beste Stand gewinnen."
„Das wird unserer sein", sagte Pru siegesgewiss und schlug ein.
Eine dritte Stimme mischte sich ein: „Den Preis für die Schülerin des Monats stell ich gleich neben meine vielen anderen Preise." Maricela ließ ihre perlweißen Zähne blitzen, während sie näher kam. „Gewöhn dich daran, immer Zweite zu werden, Pru." Ihr Lächeln erinnerte jetzt an einen Haifisch. „Oh! Wahrscheinlich hast du dich schon längst daran gewöhnt, nicht wahr?"

Prus Augen waren schmal geworden. „Das habe ich nicht, und ich werde mich auch nie daran gewöhnen!“ Wütend fuchtelte sie mit der Kerze vor Maricelas Gesicht herum. „Unsere Namen werden auf der Tafel stehen!“
„Ja! Lebhafte Konkurrenz!“, rief Abigail und klatschte in die Hände. „Ich liebe es.“ Aber sie zog ein Gesicht, dass jedem klar war: Sie fand die Streitereien schrecklich.
Schweigend machten sich die Mädchen wieder an ihre Vorbereitungen für den Basar.
Pru und Abigail sortierten ihre Kerzen nach Farben, Lucky und Maricela malten ein Schild für ihr Café. Irgendwann lief Maricela durch den Klassenraum, um ein Buch zu holen. Dabei stieß sie gegen Abigail, die gerade an einem Wachsklumpen in Pferdeform schnitzte. In hohem Bogen flog die Kerze auf den Boden und brach in der Mitte durch.
„Ups!“, sagte Maricela nur und marschierte einfach weiter.
„Meine Boomerang-Kerze!“, schrie Abigail auf

und kniete sich auf den Boden, um die beiden Teile aufzusammeln.
Lucky kicherte leise. Sie hatte den „Unfall" nicht gesehen, sondern nur den Namen für die Kerze gehört.
„Das ist nicht witzig!", sagte Abigail empört.
Lucky zuckte mit den Schultern. „Was denn? Ich finde es niedlich, dass du eine Kerze nach deinem Pferd benennst."
Pru ballte die Fäuste. „Echt super, Lucky", zischte sie böse.
Mit der zerbrochenen Kerze eilte Abigail zum Ofen und schöpfte mit einem Löffel etwas Wachs aus dem Topf. Geschickt klebte sie damit die zwei Hälften wieder zusammen. „Keine Sorge, Boomerang-Kerze", murmelte sie, „ich mach dich wieder ganz." Laut sagte sie: „Und dann, dann werde ich dich rächen!"
Aber Maricela tat, als wäre sie taub.
Wahrscheinlich fand sie Abigail mit ihrem Wachslöffel auch nicht sonderlich bedrohlich.
Kurz darauf wollte Lucky etwas Schokolade für

die Verzierung der Croissants schmelzen. Sie ging mit ihrem Topf zum Ofen, an dem schon Pru stand, die neues Kerzenwachs erwärmte. Lucky wollte den Wachstopf ein Stück zur Seite schieben.

„Ich brauch den Ofen für meine heiße Schokolade", erklärte sie.

Doch Pru drückte eisern gegen ihren Topf und machte keinen Zentimeter Platz. „Ich brauch ihn auch."

Lucky drückte jetzt ebenfalls. „Da ist doch Platz für zwei Töpfe."

„Nein, überhaupt nicht", behauptete Pru.

„Mach Platz!"

„Mach du Platz!"

Mit aller Kraft versuchte jede, den Platz auf dem Ofen zu erobern. Sie stemmten sich gegen ihre Töpfe, mal rückte die eine vor, mal die andere. Die heißen Flüssigkeiten schwappten gefährlich gegen den Rand.

„Hey!", schrie Lucky.

„Selber hey!", brüllte Pru. „Ich war zuerst hier!"

Im selben Moment schepperte es laut, und der Topf von Lucky landete auf dem Boden. Die klebrige braune Soße verteilte sich gleichmäßig über den Steinboden unter dem Ofen.
„Lucky!", rief Miss Flores und eilte auf sie zu. „Pru! Was macht ihr denn da?"
Lucky schnaufte wütend. „Pru nimmt den Ofen in Beschlag!"
Die Lehrerin musterte sie kühl. „Tatsächlich? Jedenfalls werdet ihr beide zusammen das jetzt wieder sauber machen!"
Die Mädchen warfen sich finstere Blicke zu und machten sich auf die Suche nach Putzlappen und Eimer.

Später saß Lucky mit ihrem Dad und Tante Cora an dem langen Holztisch in der Küche beim Abendessen. Der Streit mit Pru hing ihr immer noch nach. Aber nicht so sehr, dass es ihr den Appetit verdorben hätte. Es gab Bratkartoffeln und Schnitzel, Luckys Lieblingsessen. Nach dem langen Schultag hatte sie Hunger wie ein Wolf und schaufelte sich eine Gabel nach der anderen in den Mund.

Tante Cora sah sie tadelnd an. Sie legte großen Wert auf Manieren, nicht nur bei Tisch. „Lucky, eine Dame fällt nicht über das Essen her wie ein wildes Tier", sagte sie.

„Entschuldige, Tante Cora", brachte Lucky

zwischen zwei Bissen heraus. „Morgen ist der Basar, ich werde gleich mit Maricela in der Schule weiter an unserem Stand arbeiten und dann bei ihr übernachten.“ Es gab noch so viel zu tun. Sie mussten noch Tassen und Teller zusammensuchen, Servietten falten und Tischdecken bügeln. „Ist das für euch in Ordnung?“, schob sie wohlerzogen hinterher.
Tante Coras Gesicht hellte sich auf. Sie war ein Fan von Maricela, seit sie sie das erste Mal gesehen hatte. Ein so hübsches Mädchen, und so gut gekleidet!
„Ist es, würde ich sagen, du hast ja gefragt“, antwortete sie prompt.
Auch Jim lächelte. „Es ist schön zu sehen, wie du dich einbringst.“ Er wusste, dass Lucky sich vor der neuen Schule ein wenig gefürchtet hatte. Umso schöner, dass sie jetzt so viel Zeit dort mit ihren Freundinnen verbrachte.
Lucky erzählte, was sie alles versucht hatte, um Miss Flores zu beeindrucken. „Doch dadurch wurde es nur noch schlimmer“, sagte sie und

stocherte mit der Gabel durch die Luft. Sie dachte an die Putzaktion vorhin mit der schweigenden Pru. „Aber wenn erst mein Name als Schülerin des Monats auf der Tafel steht, dann sieht sie jeden Tag goldumrahmt, dass ich eine gute Schülerin bin und mich richtig anstrenge", meinte sie hoffnungsvoll.
Jim lachte gutmütig. „Na, nun übertreib mal nicht gleich."
Stirnrunzelnd sah Lucky ihn an. „Wann hab ich denn jemals etwas übertrieben, Dad?"
Jim tat, als würde er nachdenken. „Als du den Staffellauf mit verstauchtem Knöchel gerannt bist oder als du über Nacht Spanisch lernen wolltest?", zählte er dann grinsend auf. „Oder als du ein Eichhörnchen zähmen wolltest oder gerade, als du dein Essen im Eiltempo verschlungen hast und …"
Lucky winkte ab. Okay, möglicherweise war sie manchmal etwas ungeduldig. Aber es gab immer so viel zu erleben und zu tun! So wie jetzt. Mit dem letzten Bissen im Mund sprang sie auf. „Ich

muss wirklich los", rief sie und rannte zur Tür. „Wir sehen uns morgen!"
Sie hörte noch, wie Tante Cora aufseufzte, dann schlug die Tür hinter ihr zu.

Atemlos kam Lucky am Schulhaus an. Unterwegs hatte sie sich vorgenommen, mit Maricela zu reden. Ein Wettstreit war ja okay, aber wenn davon nur noch Streit übrig blieb, lief etwas schief. Sie wollte wegen des Basars auf keinen Fall die Freundschaft mit Pru aufs Spiel setzen.
Lucky stieß die Tür zum Klassenzimmer auf. „Ich glaube, das Ganze läuft etwas ...", begann sie, verstummte dann aber. Was ging hier vor?
Maricela stand auf einem Tisch, reckte sich nach oben zum Deckenbalken und wollte gerade etwas dahinter verschwinden lassen. Eine braune Holzkiste. Die verdächtig so aussah wie die Kerzenkiste von Pru und Abigail.

„Was machst du da? Versteckst du die Kerzen?“, fragte Lucky ungläubig.
Maricela drehte sich um und zwinkerte ihr zu. „Gute Idee, nicht?“
Mit einem Satz war Lucky neben ihr auf dem Tisch und versuchte, ihr die Kiste aus der Hand zu reißen. „Eine blöde Idee! Dieses Konkurrenzding geht allmählich zu weit!“
Doch Maricela hielt die Kiste fest umklammert. „Ich mach das doch extra für dich!“, stieß sie hervor. „Willst du gewinnen oder nicht?“
Lucky zerrte jetzt mit aller Kraft. „Ich will, dass du loslässt!“, fauchte sie.
Was Maricela im selben Moment auch tat. Lucky verlor das Gleichgewicht und fiel rückwärts vom Tisch, zusammen mit der Kerzenkiste. Rumms! Beim Aufprall flogen sämtliche Kerzen aus der Kiste, die meisten brachen durch.
„Was hast du getan?“, schrie Lucky und starrte entsetzt auf die Bescherung.
Maricela lächelte unschuldig. „Na, ich hab losgelassen.“

Anklagend hielt Lucky ihr eine halbierte Kerze entgegen. „Sie sind alle kaputt!"
Maricela nickte, ihr Lächeln wurde noch breiter. „Großartig!"
Lucky konnte es nicht fassen. Sie sah schon die traurigen Gesichter von Pru und Abigail vor sich. „Wir müssen sie reparieren", sagte sie entschlossen und sammelte die verstreuten Bruchstücke zusammen.
Maricela kletterte blitzschnell vom Tisch. „Das kann nicht wirklich dein Ernst sein", erwiderte sie. „Ich dachte, du willst Schülerin des Monats werden."
Lucky klemmte sich die Kiste unter den Arm. „Will ich auch, aber nicht so. Pru und Abigail sind meine Freundinnen."
Bei dem Wort „Freundinnen" zog ein Schatten über Maricelas Gesicht. Offenbar hatte sie gehofft, dass Lucky jetzt nur noch mit ihr befreundet sein wollte. Aber gleich darauf kehrte ihre Angriffslust zurück. „Ganz wie du willst", sagte sie, aber es klang beleidigt. Mit

verschränkten Armen stolzierte sie davon. „Im Übrigen bin ich ja bereits Gewinnerin“, teilte sie Lucky noch mit.
Die sah ihr stumm hinterher. Pru hatte recht gehabt: Maricela war ein Biest. Und Lucky war auf ihre gespielte Freundlichkeit hereingefallen. Seufzend räumte sie die kaputten Kerzen in die Kiste. Draußen wurde es schon dunkel, aber da ihr Dad und Tante Cora glaubten, sie würde bei Maricela übernachten, würde niemand nach ihr suchen.
Lucky feuerte den Ofen an, zog einen Tisch heran und stellte den Wachstopf auf die Ofenplatte. Zum Glück hatten Pru und Abigail noch einige Wachsreste im Klassenzimmer deponiert.
Es dauerte nicht lange, und das flüssige Wachs blubberte im Topf. Lucky nahm die ersten beiden Kerzenhälften, ließ etwas Wachs auf die Bruchstelle tropfen und drückte sie zusammen. Nach ein paar Minuten war das Wachs fest, und schon sah die Kerze aus wie neu. Nicht schlecht. Aber die Reparatur würde eine Weile dauern,

denn in der Kiste waren mindestens achtzig Kerzen. Lucky gähnte. Eine lange Nacht lag vor ihr.

Vier Stunden später war es endlich geschafft. Alle Kerzen lagen wieder heil und ordentlich gestapelt in der Kiste. Lucky reckte sich. Ihr fielen fast die Augen zu. „Nicht schlecht, wenn ich das mal selbst sagen darf", murmelte sie. Und das durfte sie, weil außer ihr keiner da war.
Sie war so müde. Am besten, sie machte ein kurzes Nickerchen und ging anschließend nach Hause. Ihr Kopf sank auf die Tischplatte, und innerhalb von Sekunden war sie tief und fest eingeschlafen. Sie merkte nicht, dass der Ofen immer noch auf vollen Touren lief. Und dass die Kerzenkiste sehr nah danebenstand. Mit einem leisen „Plitsch" begann die erste Kerze sich aufzulösen.

Eine Stimme weckte sie auf. „Lucky?"
Lucky blinzelte. Helles Sonnenlicht fiel durch ein Fenster. Wer rief sie da? Verschlafen hob sie den Kopf. Direkt vor ihr stand Miss Flores. Mit in die Seiten gestemmten Armen und gerunzelter Stirn.
„Miss Flores, was machen Sie in meinem Schlafzimmer?", murmelte Lucky. Dann wurde ihr Blick klarer. Sie saß immer noch am Tisch neben dem Ofen. Vor ihr stand die Kerzenkiste. Und darin und drum herum klebte jede Menge geschmolzenes Wachs. Keine einzige Kerze war übrig geblieben. Mit einem Schlag war Lucky hellwach. „Was ist passiert?", rief sie entsetzt.
„Genau das wollte ich dich auch gerade fragen."

Miss Flores sah immer unfreundlicher aus.
Lucky sank auf dem Stuhl zusammen und schlug die Hände vors Gesicht. „Ich muss vergessen haben, den Ofen auszumachen", stöhnte sie.
Miss Flores atmete tief ein. „Lucky, ich kann einfach nicht glauben, dass du so etwas tust", stieß sie hervor.
Lucky fuhr hoch. „Das war keine Absicht", rief sie.
Wie konnte Miss Flores so etwas glauben?
Die Lehrerin sah sie ernst an. „Natürlich sind Pru und Abigail deine Konkurrentinnen, aber dass du dich dazu herablässt ..."
„Es war ein Versehen!", rief Lucky und sprang auf. „Ich wollte ..."
Doch Miss Flores ließ sie nicht ausreden.
„Unterbrich mich nicht, wenn ich ..."
Lucky stampfte mit dem Fuß auf. „Aber Sie hören mir doch gar nicht zu!"
Sie hatte wohl etwas laut geschrien. Mit versteinertem Gesicht wies die Lehrerin zur Tür.
„Es reicht, ich möchte, dass du jetzt gehst."
Wie bitte? Aber heute war doch der Basar!

Entsetzt sah sie Miss Flores an, aber die drehte sich weg und wiederholte nur, dass sie für den Rest des Tages nach Hause gehen sollte.
Eine Welle der Verzweiflung durchfuhr Lucky. Es war schon schlimm, was passiert war, aber noch schlimmer war, dass Miss Flores glaubte, sie hätte das absichtlich getan. Lucky machte auf dem Absatz kehrt und stürmte aus dem Klassenzimmer. Vorbei an Pru und Abigail, die ausgerechnet in diesem Moment die Schule betraten.
„Hey, Lucky", hörte sie Abigail rufen. Dann folgte ein entsetzter Laut.
„Nur noch geschmolzenes Wachs!", kreischte Pru. „Unsere Kerzen!"
Mit Tränen in den Augen rannte Lucky davon.

Die Morgensonne schien warm auf die Veranda der Prescott-Villa. Die Vögel zwitscherten, aber

Lucky saß wie ein Häufchen Elend auf der Treppe. Wie hatte es nur so weit kommen können? Bei Miss Flores war sie jetzt unten durch. Bei Pru und Abigail auch. Und bei Maricela sowieso. Alles war schiefgegangen.
Pünktlich um Viertel vor acht näherte sich Hufschlag im Gras. Spirit kam, um sie abzuholen. Übermütig stupste er sie an, aber Lucky hob kaum den Kopf.
„Entschuldige, mein Großer, ich bin gerade keine gute Gesellschaft", sagte sie leise. „Und keine gute Freundin."
Der Braune schnaubte empört. Lucky war die beste Freundin, die man sich denken konnte!
Mit einem traurigen Lächeln stand Lucky auf und schlang ihre Arme um seinen Hals. „Meinst du, Pru und Abigail hassen mich?", murmelte sie in seine Mähne.
„Natürlich nicht, Lucky", antwortete eine Stimme. Erschrocken wich Lucky zurück. Seit wann konnte Spirit sprechen?
Da hörte sie ein Lachen. Ein Stück entfernt

standen Pru und Abigail mit ihren Pferden und winkten ihr zu.
Sie waren ihr nachgeritten! Lucky flog beinahe auf sie zu und umarmte die Mädchen stürmisch.
„Es tut mir leid, es tut mir so, so leid!", rief sie.
„Bitte hasst mich nicht!"
„Wir hassen dich nicht", sagte Pru. Ihre Augen blickten freundlich, nicht mehr angriffslustig wie in den letzten Tagen. „Wir wissen, dass du so was nie tun würdest."
„Absichtlich", ergänzte Abigail grinsend.
Pru sah zu Boden. „Tut mir leid, dass es aus dem Ruder gelaufen ist. Ich übertreib es manchmal ein klein wenig mit der Konkurrenz", gab sie zu.
Doch Lucky wehrte ab. „Ich würde sagen, ich hab es ganz schön übertrieben."
„Nicht mehr als ich", erwiderte Pru sofort.
Die beiden schwiegen kurz, dann prusteten sie los. Jetzt hatten sie sich schon beim Entschuldigen gegenseitig übertrumpfen wollen!
„Wir sind uns wohl sehr ähnlich", meinte Pru, nachdem ihr Lachanfall abgeebbt war.

Abigail hätte beinahe Beifall geklatscht für diese Erkenntnis. „Und ob ihr das seid, ihr macht mich manchmal wahnsinnig", rief sie. Kichernd fügte sie hinzu: „Ich könnte euch tatsächlich manchmal erwürgen!"

Als Pru und Lucky sie entsetzt ansahen, hörte sie schnell auf zu grinsen.

„Wir haben mit Miss Flores geredet", ergriff Pru wieder das Wort.
Sofort verfinsterte sich Luckys Miene. „Schön, ich will jedenfalls nie wieder mit ihr reden." Sie war immer noch verletzt, dass die Lehrerin sie so falsch eingeschätzt hatte. Aber offenbar hatte auch die ihre Meinung geändert.
„Du kannst zu dem Basar kommen, sagt sie", berichtete Pru.
„Du wirst staunen, was Turo gemacht hat", ergänzte Abigail. Sie wirkte äußerst zufrieden. Und das hatte, wie sich bald herausstellte, mit Snips zu tun.

Schon am Eingang des Basars erspähte Lucky im Getümmel Snips feuerrote Haare. Der Knirps hockte über der Menge auf einer kleinen Plattform, die oben auf einer Leiter befestigt war. Die Leiter wiederum war an einen großen

Wasserbottich genagelt. Seitlich an der Leiter befand sich eine Wurfscheibe. Mit einem Treffer ins Schwarze konnte man die Plattform nach unten kippen lassen und Snips ins Wasser befördern. Das erklärte sein unglückliches Gesicht. Und Abigails zufriedenes Grinsen.
Dafür hatte Turo also die Holzkugel geschnitzt. Offenbar hatte der Zwerg auch ihn etwas zu oft genervt.
„Tretet heran!", rief Turo. „Schickt Snips baden!"
„Ich mach das hier nicht freiwillig!", kreischte Snips und fuchtelte mit dem Zeigefinger in Turos Richtung. „Hört nicht auf ihn, er ist nicht mein richtiger Partner." Verzweifelt blickte er zu seinem vierbeinigen Komplizen hinüber, der seelenruhig am Gras zupfte. „Herr Karotte, rette mich!"
Der Esel kratzte sich nur einmal mit dem Huf hinter dem Ohr und widmete sich dann wieder den Grashalmen.
Abigail hielt sich kichernd den Bauch, als sie die Szene beobachtete.

Da drehte sich vor ihnen jemand um: Maricela. Sie musterte Lucky hochmütig. „Unser Stand ist der Hit und wird ganz sicher gewinnen. Auch ohne deine Hilfe!“, verkündete sie. Dann warf sie den Kopf in den Nacken und stolzierte davon.
Pru schob ihre Ärmel hoch. „Ich würde gern Maricela baden schicken, aber ich nehme mit Snips vorlieb“, meinte sie und machte einen Schritt auf Turo zu, um sich die Holzkugel zu holen.
„Nicht, wenn ich dir zuvorkomme“, erwiderte Lucky kichernd. Sie hatte nicht vergessen, wie Snips sie bei ihren ersten Reitversuchen veräppelt hatte.
Doch Abigail schnappte sich die Kugel als Erste. „Ich muss Snips schon seit sechs Jahren ertragen“, rief sie, und allen war klar, dass das eine harte Zeit gewesen sein musste. Sie holte aus und schleuderte den Holzball mit aller Kraft auf die Zielscheibe. Treffer, versenkt! Die Plattform kippte, und Snips landete mit einem gewaltigen Platscher im Wasserbottich. Die Fontäne spritzte

so weit, dass auch Maricela, die gerade vorbeilief, eine Dusche abbekam.
„Ahh!“, kreischte sie auf. Ihre weiße Bluse klebte wie ein Putzlappen an ihren Armen, aus ihrer roten Haarmähne tropfte das Wasser.
Lucky, Pru und Abigail prusteten los. Die feine Pariser Dame hatte sich in einen begossenen Pudel verwandelt!

Am Abend, als der Basar zu Ende war, trafen sich die Freundinnen auf dem Heuboden im Stall. Endlich konnten sie in Ruhe über die Ereignisse des Tages sprechen. Draußen funkelten die Sterne am Himmel, drinnen verbreitete die Boomerang-Kerze einen warmen Lichtschein. Drum herum hatten Lucky, Pru und Abigail es sich mit Strohballen gemütlich gemacht.
„Ich fass es nicht, dass Snips Schüler des Monats geworden ist“, meinte Abigail. Ihr Bruder hatte

noch nie irgendwas gewonnen. Außer vielleicht den Preis für die größte Nervensäge.
„Und was Maricela da für ein Gesicht gemacht hat!“, kicherte Pru. Das hatte sie fast für die Niederlage entschädigt. Aber nur fast. Wieder mal stand ihr Name nicht auf der Tafel. Aber auch nicht Maricelas.
„Na, wenigstens hat deine Boomerang-Kerze überlebt“, sagte Lucky zu Abigail.
Die nickte. „Boomerang lässt sich eben von nichts und niemandem etwas anhaben.“ Glücklich lächelnd sah sie in die Runde. „Und nichts und niemand wird unserer Freundschaft etwas anhaben. Ihr seid meine besten Freundinnen!“
Pru nickte. Jetzt waren sie wirklich unzertrennlich.
„Für immer und ewig“, ergänzte Lucky feierlich. Nicht mal Maricela mit ihren fiesen Tricks hatte sie auseinanderbringen können.
Abigail lugte nach unten in die dunkle Stallgasse. „Und unsere Pferde sind auch unzertrennlich. Hab ich recht, Boomerang?“

Der kleine Schecke hob den Kopf und sah zu ihr hoch. Dicht neben ihm stand Chica Linda, in einer der offenen Boxen mampfte Spirit seinen Hafer. Nach Boomerangs Ausbruch von der Schulkoppel hatten die Mädchen einen Entschluss gefasst: Ab jetzt durfte nicht nur der Hengst nachts kommen und gehen, wie er wollte, sondern auch die beiden anderen.
Chica Linda wieherte und trabte zum offenen Scheunentor: das Kommando zum Aufbruch. Auch Spirit und Boomerang setzten sich in Bewegung. Gemeinsam stoben sie hinaus in die Nacht. Lachend sahen die Mädchen ihnen durch die Luke im Heuschober nach. Gab es etwas Schöneres als wilde und freie Pferde?

...burger Bücher

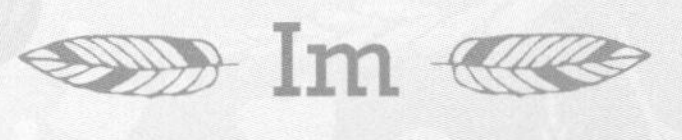

Im Glücksgalopp

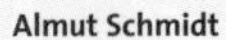

Almut Schmidt

Dreamworks Spirit Wild und Frei
Das Abenteuer beginnt

Band 1

ISBN 978-3-473-**49118**-6

Almut Schmidt

Dreamworks Spirit Wild und Frei
Wahre Freundinnen

Band 2

ISBN 978-3-473-**49119**-3

Ravensburger

HCRTB_18_074

Weitere pferdestarke Bücher zu

ab Frühjahr 2019!